D1129767

CHRISTINE SPENGLER

ANNÉES DE GUERRE

En souvenir d'Éric, mon frère bien-aimé.
Pour Paulette, avec toute mon affection.

ISBN 2-86234-356-0 © Marval 2003 pour le livre.

CHRISTINE SPENGLER

ANNÉES DE GUERRE

1970-2002

MARVAL

Avec toute ma reconnaissance pour mes parrains dans la guerre,
Göksin Sipahioglu, Don McCullin, Horst Faas.

LORSQUE J'ÉTAIS ENFANT, À MADRID, RIEN NE ME PRÉDISPOSAIT À la photographie. Je savais seulement que je voulais devenir écrivain. Ce n'est qu'au Tchad, à l'âge de vingt-trois ans, accompagnée de mon jeune frère, que je découvris ma seconde vocation, celle de correspondante de guerre, en me trouvant mêlée à la révolte des Toubous. Pour la première fois de ma vie je pris conscience que dans un cas extrême les mots ne suffisaient pas, qu'il me fallait un appareil photo. Avec lui les témoignages seraient irréfutables. Partout où j'irais il m'aiderait à capter de façon indélébile les tragédies, la souffrance, mais aussi les jeux et les rires des enfants que j'appelais plus tard : "les fleurs de guerre".

Au Vietnam, mon œil neuf me permit de voir la jeune fille au sourire énigmatique, qui, une heure avant la paix, cirait pour la dernière fois les bottes des GI's. Je photographiais les enfants-soldats qui arboraient des tatouages surprenants sur leur poitrine et des pivoines sur leur casque, comme dans *Apocalypse Now*. J'adorais les suivre... Même au cœur de la bataille, ils gardaient leur innocence. À l'heure du déjeuner, ils faisaient une trêve pour jouer de la guitare dans les forêts calcinées...

À Phnom-Penh, grâce à mon grand angle, je saisis la vision apocalyptique d'une ville bombardée, ensevelie sous les cendres, éclairée par un pâle soleil de minuit, sans m'attarder sur les cadavres, qui, au premier plan, brûlaient dans la fournaise.

Déjà je refusais tout sensationnalisme. Je m'attachais à montrer la douleur des survivants, comme cet enfant pleurant son père mort, à l'ombre d'un mortier, avant de s'enfuir sous le napalm. C'était lui la victime, l'enfant-martyr... Une heure avant le drame, je l'avais immortalisé nageant, insouciant, dans le Mékong, sur des douilles d'obus vides, entouré de ses petits camarades. J'avais décidé de ne pas photographier le père noyé dans son sang.

Le fait d'être une femme m'aida beaucoup dans mon métier. Au bout du monde, armée de mon Nikon, je réagissais face aux situations avec la force et la détermination d'un homme. Il m'arrivait parfois de faire les mêmes photos qu'eux... Puis, laissant parler mon cœur, j'allais à la rencontre de la vie. Je voyais alors des choses surprenantes qui me bouleversaient, comme si à chaque scène d'horreur succédait une scène d'espoir. Contrairement aux photos sanglantes, j'ignorais que ces images feraient la une des magazines...

Au cœur de la guerre, j'appris que l'instinct de survie est plus fort que la mort, à l'exemple de cette photo perdue où une indigène au bras arraché par une grenade allaitait son bébé, assise sur un cercueil.

Dans le désert du Sahara occidental, j'accompagnais au combat les hommes du Front Polisario. De retour dans les campements, je photographiais les femmes qui avaient troqué leur fusil et leur parka contre un voile de couleur pour soigner les enfants dans les nurserys souterraines.

Habillée de noir, je pouvais, en Iran, pénétrer sans difficulté dans la maison de Khomeiny ; me rendre chaque jour en hélicoptère au Kurdistan où le terrible Ayatollah Khalkhali surnommé "le Boucher aux mains rouges" me demanda d'être son photographe. Je décidai de le quitter la veille de la première exécution d'intellectuels kurdes. Cette photo tragique obtint le World Press... Mais les prix ou les scoops ne m'ont jamais intéressée. Je préfère rester des mois sur le terrain et réaliser un travail en profondeur.

Le suicide de mon jeune frère Éric a été déterminant dans ma carrière. Le désespoir de l'avoir perdu me rendit plus sensible à la douleur du monde. Durant toutes ces années, je voulais mourir. Pourtant, le fait de côtoyer sans cesse le danger m'apprit à aimer la vie.

Je pense encore avec émotion à ces femmes iraniennes qui pour moi dévoilaient en souriant leur beau visage pur, à ces veuves palestiniennes, qui me montraient en pleurant les portraits de leurs disparus, à ces madones afghanes qui me regardaient sous leur tchadri.

Aujourd'hui je suis à la fois ombre et lumière, comme les arènes de mon enfance à Madrid.

Je dédie ce livre à tous ces hommes, femmes et enfants, victimes de la guerre, qui ont pleuré, souffert et souri à travers mon objectif et qui continuent de lutter chaque jour pour leur dignité sous le soleil noir de la guerre.

TCHAD

AU CŒUR DU TIBESTI
1970

MON PÈRE VIENT DE MOURIR. POUR FUIR CE DRAME, NOUS décidons mon jeune frère Éric et moi de faire un grand voyage au bout du monde, et, peut-être, ne plus revenir. Éric avait découvert un livre fascinant : *Seguidim, la ville de Sel*. Une cité abandonnée depuis trois siècles dans laquelle erre, seul survivant, un patriarche aveugle couvert de haillons dorés –le sultan de Seguidim.
– Si nous allions lui rendre visite ? demande Éric. Nous ferions un pique-nique sous l'arbre du Ténéré et nous irions à la rencontre des Toubous, ces combattants extraordinaires qui luttent contre l'armée française dans le Tibesti.
Pour la première fois de ma vie, je manipule l'appareil photo que m'a prêté mon frère –un Nikon doté d'un grand angle dont je ne me séparerai plus jamais. Ma vocation est née à Bardaï le jour où j'ai réalisé ma première photographie en voyant deux rebelles tirer pieds nus à la kalachnikoff contre les hélicoptères français.
Nous sommes faits prisonniers par les légionnaires qui nous accusent d'être des espions. Après vingt-trois jours de prison à Fort-Lamy, nous sommes enfin libérés, mais expulsés du Tchad.
Sur le chemin du retour, je dis à Éric :
– Je deviendrai correspondante de guerre et témoignerai des causes justes.
Les photos du Tchad ont malheureusement été perdues. Il ne me reste, en souvenir de ce voyage initiatique, que quelques pages jaunies dans un magazine espagnol... Je n'oublierai pourtant jamais les visages des Toubous, ni le vent et le sable du désert.

ÉRIC NE VEUT PLUS JAMAIS RETOURNER À LA GUERRE. IL ME FAIT cadeau de son appareil photo en disant :
– C'est toi la plus forte des deux. C'est toi qui deviendras correspondante de guerre et qui écriras le livre de notre vie.
Je pars donc seule en Irlande du Nord, bien décidée à apprendre mon métier sur le terrain. Tous les plus grands photographes du monde sont là. Je m'installe dans un *bed and breakfast* à l'ombre de l'hôtel Europa, rendez-vous de la presse internationale, où je vais matin et soir aux nouvelles. Les cameramen veulent bien m'emmener avec eux couvrir les enterrements catholiques et protestants qui ont lieu chaque jour dans la ville séparée en deux par d'immenses rideaux de fer.
Corbillards noirs, visages blafards, chiens errants s'attaquant aux soldats... Mon Dieu que l'Irlande est triste sous la pluie !...
Pour pouvoir franchir les barrages des soldats, j'ai maquillé ma carte de remonte-pentes en carte de presse et n'hésite pas à leur crier : "*Life* ! Press !", jusqu'au jour où je me trouve nez à nez avec le photographe de *Life* récemment débarqué de New York.
Un matin, en face de notre hôtel, je vois des soldats britanniques en train de fouiller systématiquement tous les passants qui traversent la rue pour se diriger au célèbre pub The Crown :
– Rien de nouveau... disent les confrères. Nous n'aurons jamais une bonne photo ici. Rentrons plutôt à l'hôtel boire un whisky. Tu viens avec nous, "Redscarf" ? comme ils m'ont surnommée à cause de l'écharpe de laine rouge que je porte autour du cou.
– No, thank you !
D'abord je ne bois pas de whisky, et puis l'instinct me dit qu'il faut toujours rester lorsque les autres partent. Soudain, à ma grande surprise, je vois avancer quatre gamins irlandais coiffés de chapeaux de carnaval qui se dirigent en riant vers des soldats au visage recouvert de suie. À tout hasard je m'approche d'eux et fais le point. S'ils se font arrêter, c'est une bonne photo. Sinon, tant pis pour moi !
Les enfants, goguenards, sont immédiatement mis au pied du mur par les soldats qui s'agenouillent pour mieux les fouiller car il n'est pas rare qu'ils transportent des cocktails molotov. J'appuie sur le déclencheur au moment précis où ils se retournent en riant pour faire la nique aux soldats. Je sais que la photo est bonne, j'en ai la certitude. C'est elle qui résumera la situation, toute la dérision de la guerre.
De retour à l'hôtel Europa, les photographes anglais me disent que je devrais rencontrer Don McCullin à Londonderry. J'ignore qui il est, pas plus que je ne sais qui est Bob Capa.
– Comment, tu n'as pas entendu parler de Don McCullin, la star du *Sunday Times Magazine*, me disent-ils, outrés. Il vient de rentrer du Cambodge où il a été blessé. Tu devrais lui téléphoner. Il sera sûrement content de te voir.

IRLANDE DU NORD

CARNAVAL À BELFAST 1972-1986

J'appelle Don qui me confond avec une autre Christine et me donne rendez-vous au City Hotel de Londonderry.

À Derry, le bastion catholique, même désolation qu'à Belfast... Ghettos gris protégés par des barbelés, graffitis immenses en hommage aux soldats de l'IRA, décombres, monuments aux morts illuminés de bougies en souvenir des martyrs...

Don McCullin me reçoit dans le hall de son petit hôtel où il est l'unique client. Je vois un très bel homme blond, vêtu de velours beige, qui avance à pas feutrés. Des yeux verts fascinants. Ce qui m'étonne c'est qu'il porte ses Nikon attachés à des ficelles. Voyant ma surprise, il me dit en riant :

– Un appareil photo, c'est comme une brosse à dents. Il ne faut pas avoir peur de l'abîmer !

Il me propose aussitôt de m'emmener faire un tour dans le Bogside. Comme chaque week-end, des centaines d'enfants vont dresser des barricades et attaquer l'armée à coups de pierres et de frondes pendant que leurs parents de l'IRA transportent des armes sur les toits. Don me photographie devant le grand mur blanc qui dit : "You are now entering in free Derry" (Vous êtes en train d'entrer dans Derry libre). Je sais que si je franchis ce mur je ne serai plus jamais la même. Ce métier sera le mien à jamais.

Toute l'après-midi nous prenons des images de la bataille qui fait rage au milieu des gaz lacrymogènes : le soldat ensanglanté, blessé par une pierre, qui cherche à s'abriter derrière son bouclier en plexiglas, les enfants hilares qui leur crient : "Pigs ! Murderers !" (Cochons ! Assassins !), le chien qui hurle à la mort dans une maison cernée par les flammes... Je suis atteinte à la jambe par un rubber-bullet –une balle en caoutchouc. Don me dit en riant :

– Te voilà baptisée, à présent !

Nous continuons notre parcours. Don photographie une poupée abandonnée au milieu des gravats :

– Je suis comme les lézards, me dit-il. Je vois tout.

Moi aussi j'ai l'impression d'être comme les lézards, de tout voir.

De retour à Belfast, seule, pendant des jours et des jours je photographie du matin au soir les enfants masqués qui se promènent parmi les chars...

Je surprends des soldats armés devant les fresques murales de Fall's Road sur lesquelles les enfants ont peint des Mickey Mouse géants... Des jeunes filles en socquettes blanches posent en riant devant un portrait géant d'Elvis Presley... Tous les week-ends je retourne à Derry pour accompagner Don McCullin dans le Bogside. J'adore le suivre, le voir évoluer comme un félin dans la fumée. Embusqués derrière une voiture calcinée, il me dit soudain :

– Dans dix ans, si tu travailles sans arrêt, tu en sauras autant que moi. Mais n'oublie surtout pas : lorsque tu rentreras dans une grande agence, photographie toujours ce qui te plaît, que ce soit un chat, un chien ou un réverbère !

Il bondit et photographie à son insu un clochard à la barbe blanche, aux étonnants yeux bleus, occupé à fouiller dans une poubelle à l'aide d'un crochet :

– Tu vois ? C'est facile !

Cette photo intitulée *Neptune* deviendra célèbre...

Je décide d'emprunter une autre route que lui pour ne pas faire les mêmes images. Tout à coup, dans Loane More Street, un groupe d'enfants munis de pierres me barre le chemin :

– Fuck you ! me disent-ils en tirant la langue. Tu ne passeras pas ! Nous sommes les rois de la rue !

– OK, mais avant je vous prends en photo !

Deux jours plus tard, je trouve à l'hôtel un petit mot de Don me disant au revoir :

– Voici deux mois que tu es là, m'écrit-il. Tu devrais rentrer et montrer ton reportage à *Paris Match*.

Le rédacteur en chef de *Match* me surnomme aussitôt "Miss Irlande". Il est surpris par mes images d'enfants dans la guerre. *Carnaval à Belfast* fera une double page dans le numéro de Noël.

Quant à Göksin Sipahioglu, directeur de l'agence Sipa qui a la réputation de toujours donner une chance aux débutants, il accepte aussitôt de me recevoir dans son grand bureau ovale. Göksin, aux tempes argentées, m'apparaît comme un prince. Il regarde avec intérêt mes photos étalées sur la table en criant à la cantonade :

– Cette fille a un œil ! Je l'engage !

En me donnant ma première opportunité, il diffuse mon reportage dans quarante pays du monde. La photo *Carnaval à Belfast* est publiée un mois plus tard dans le magazine *Life*... Quant à celle des enfants tirant la langue au milieu de la mitraille, à Londonderry, elle fait aujourd'hui partie des cent photos du siècle. Vingt-sept ans plus tard je me suis rendue sur les mêmes lieux. C'était la Saint-Valentin. Ce jour-là, tous les hommes de Derry portaient des roses rouges à la main pour les offrir à leurs femmes. J'ai appris que sur les huit enfants, sept étaient survivants :

– Tu te souviens ? Avant, nous n'osions même pas sortir. Nous ne fêtions même pas Noël ! Merci d'être revenue nous voir dans Derry libre !

BILLY

HIZZ

OUT
ARM

UDA

L
YZC 753

23BK90

PLAY BU

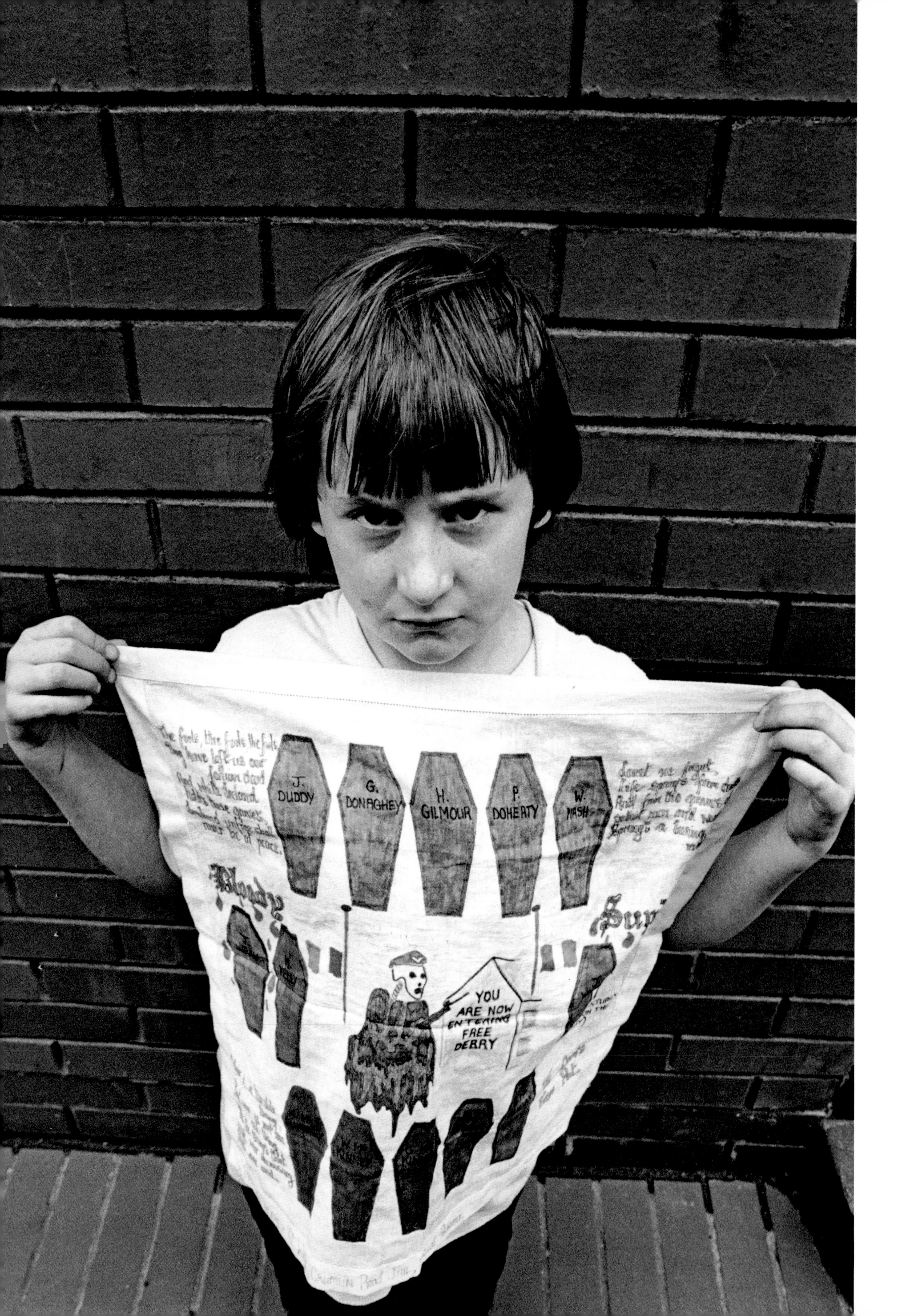
J. DUDDY
G. DONAGHEY
H. GILMOUR
P. DOHERTY
W. NASH
Bloody
YOU ARE NOW ENTERING FREE DERRY

EN CE DÉBUT D'ANNÉE, JE RÊVE D'ALLER AU VIETNAM. MALGRÉ SA dépression, Éric m'encourage à partir :
– C'est ton métier, à présent. Vas-y, je t'attendrai. Tu me raconteras tout au retour.
Munie d'un billet aller simple, mon Nikon autour du cou, je m'envole pour Saïgon, où, sans le savoir, un homme m'attend : le célèbre Horst Faas, directeur en chef du bureau d'Associated Press pour l'Asie, deux fois prix Pulitzer. Je sais qu'il adore les free-lances. Il m'enverra au front et me donnera quinze dollars pour chaque photo vendue, m'ont assuré les confrères.
J'atterris à minuit dans Saïgon et me dirige aussitôt vers l'hôtel Continental. J'aperçois des journalistes en lin blanc assis autour de petites tables en osier. De jeunes Vietnamiennes aux cheveux de jais virevoltent autour d'eux. Apparemment, je suis la seule Européenne.
Ayant déposé mes bagages dans le hall de l'hôtel, je me rends malgré l'heure tardive dans l'immeuble vétuste d'Associated Press, situé dans la rue Tu-Dô, où veille le grand Horst Faas, l'homme qui a la réputation de ne jamais dormir.
– Hey, Sir, je veux aller au front ! lui dis-je par trois fois.
Il est beau et fort comme Orson Welles. Penché en deux sur sa table lumineuse, une loupe à la main, la masse se redresse, examine mon visage de poupée japonaise et me dit :
– Rien de plus facile, Baby ! Reviens à cinq heures du matin.
Il fait encore nuit lorsque j'accours le cœur battant au rendez-vous. Horst est déjà sur pieds. Voyant mon unique appareil photo, il me dit :
– Tu n'as que ça pour aller à la guerre ?
Il ouvre une armoire pleine de vieux Nikon défoncés ayant appartenu à des photographes morts dont les photos sont épinglées au mur. Ils sont cinquante-trois, déjà, à avoir perdu la vie au Vietnam...
– Prends cela, tu vas en avoir besoin !
Mon futur boss me tend trois appareils cabossés, une paire de bottes et quelques rouleaux de pellicule. Puis il ajoute :
– Nous sortons de l'année du rat pour entrer dans celle du buffle. Illustre-moi ça et tu auras le job !
J'ignore ce qu'il veut dire mais je ne bronche pas.
Sur le grand tableau noir qui se trouve au fond de l'agence, il écrit à la craie blanche : "Christine, route numéro 13."
Pour la première fois de ma vie, je ressemble à un vrai photographe. Mais je n'ai toujours pas de carte de presse ni aucun moyen de locomotion pour me rendre au front.
Comment vais-je faire ?

VIETNAM

L'ANNÉE DU BUFFLE
1973-1985

À la terrasse de l'hôtel Intercontinental, des journalistes sont attablés à l'ombre d'un autel des ancêtres où brûlent encens et bougies. Je me présente et leur raconte que je dois faire la photo d'un buffle pour le grand Allemand, Horst Faas. Ils se montrent aussitôt compréhensifs.

Michel Honorin, le premier, accepte de m'emmener avec lui :

– Mais je te préviens ! Une fois sur le front, tu te débrouilles !

Il me demande de me cacher à l'intérieur d'un bus afin que les soldats sud-vietnamiens ne me voient pas aux barrages.

Après une demi-heure de route qui me semble interminable, nous sommes enfin arrivés. Les journalistes me laissent dans la jungle en me souhaitant bonne chance.

Sur la route numéro 13 il se passe des choses incroyables. Je photographie un enfant-soldat qui s'avance vers moi. Souriant, il ouvre sa vareuse pour me montrer le tatouage gravé sur son torse ambré, un cercueil entouré de bougies avec la phrase : "Rock'n roll ! Je danserai jusqu'à la mort !"

Je remarque avec surprise que les soldats portent tous d'immenses pivoines sur leurs casques. D'autres, avec perruques et diadèmes, les lèvres carminées, exécutent la danse du dragon devant leur tank paré de fleurs. Un autre joue de la guitare face à la forêt calcinée :

– Aujourd'hui dimanche, c'est "repos de la guerre", me dit-il en riant.

Ce qui compte donc ce sont les survivants. Juchée sur un véhicule de la Croix-Rouge, je plonge mon regard dans les rizières avoisinantes. Tandis qu'un camion militaire l'attend, un enfant-soldat, hilare, nage dans un marigot boueux coiffé d'un casque sur lequel est inscrit : "Fuck the Vietcong !" Un énorme buffle s'apprête alors à rentrer dans l'eau. Halte ! Je saute à terre et prends la photo à l'instant précis où le buffle se trouve entre l'enfant et le camion.

Il va falloir rentrer à Saïgon avant le couvre-feu. De retour à l'agence, je dépose mes films. Horst Faas me dit de repasser dans une heure. Lorsque je reviens, des géants américains bardés d'appareils photo, en gilets pare-balles, casques à la main, m'abordent dans le hall pour me féliciter :

– C'est toi la photo du buffle ? Bravo ! Tu fais la couverture du *New York Times* !

"Orson Welles" est ravi. Il ouvre une bouteille de champagne pour fêter l'événement et m'annonce qu'à présent je fais partie du staff d'Associated Press. La tête me tourne un peu mais je n'oublie pas que demain matin je travaille à cinq heures trente.

28 JANVIER 1973 : DÉPART DES AMÉRICAINS. AÉROPORT MILITAIRE DE TAN SON NHUT, MIDI.

C'est un jour historique. Après trente ans de guerre, le cessez-le-feu vient enfin d'être signé. Sortant d'un hangar sur lequel ils ont inscrit : "Bye bye Vietnam", un groupe de GI's éméchés, colliers de fleurs sur leurs torses nus, se préparent à assister aux préparatifs du dernier vol américain en territoire vietcong que vont effectuer deux de leurs camarades. Assis au pied d'un petit mur, ils boivent du whisky au goulot lorsqu'apparaissent en bout de piste, deux pilotes en combinaisons vertes, coiffés de casques qui leur donnent l'air de martiens. L'un des deux s'appelle Joe. À l'aide de courroies et de sangles, il place avec précaution quatre énormes bombes oblongues sous son avion. Tous le regardent fixement. On pourrait penser que Joe et son copain maudissent le sort qui les a désignés pour cette ultime et dérisoire mission : lâcher des bombes mortifères en territoire vietcong une heure seulement avant la paix.

Or il n'en est rien, au contraire. Indifférent aux caméras qui le filment en direct pour la télévision américaine, Joe se retourne vers nous en faisant le "V" de la victoire, il s'empare d'un spray et écrit sur les engins meurtriers ces mots effrayants : "This is for you, Charlie" (Voici pour toi, Charlie), "Charlie" étant avec "les bridés" ou les ""nyaquoués" le surnom qu'ils donnent aux Vietcongs.

Avant de partir, je prends la photo d'une jeune Vietnamienne accroupie à même le sol devant un immense rempart de chaussures, qui, sourire aux lèvres, cire les bottes des GI's pour la dernière fois de sa vie...

Le 23 avril, à 6 heures du matin, je reçois à l'hôtel Continental un télégramme bleu m'annonçant le suicide d'Éric à Paris –la seule mort à laquelle je ne m'attendais pas. Le ciel de Saïgon s'assombrit.

Je perds le sens de la couleur et ne vois plus que des soldats blessés en noir et blanc dans les rues de Saïgon. Je pense avec douleur à cette photo, prise il y a quelques jours au cimetière militaire de Bien Hoa, où une jeune Vietnamienne éventait sur une tombe le portrait de son frère. À présent je suis comme elle. Comme toutes ces mères, ces sœurs ou ces femmes de victimes, je pleure l'être aimé.

Entièrement vêtue de noir, je quitte le Vietnam pour aller enterrer Éric en Alsace.

Horst, à qui je vais faire mes adieux, me prend dans ses bras et me dit :

– Pars, "Moonface". Mais souviens-toi : il y aura toujours du travail ici pour toi !

SĂN B-52
VÉ 5 VIÊN 3đ
3 VIÊN 2đ

MIẾN NHẬN TIỀN

TENNIS

Cỗ quan tài chờ

CAMBODGE

L'HORREUR AU BOUT DU MONDE 1974-1985

19 FÉVRIER. J'ATTERRIS DE NOUVEAU À SAÏGON. J'AI PRÉVENU Horst Faas de mon arrivée. Il me reçoit à minuit dans son bureau et me dit :
– J'ai un job pour toi. Tu pars demain à Phnom-Penh diriger le département photographique d'Associated Press.
Je n'arrive pas à le croire !
Le lendemain à midi trente, ébahie, avec une lettre d'introduction destinée au directeur qui gère le sort des photographes free-lances travaillant sur place, je m'envole en direction de Phnom-Penh encerclée par les Khmers rouges pour gagner l'hôtel Royal :
– Fucking women ! s'écrie-t-il. Que viennent-elles faire dans un monde d'hommes ?
À contrecœur il est obligé de me céder le studio d'Associated Press envahi de matériel photo et de hamacs dans lesquels dorment parfois les photographes entre deux missions. Mon job consiste à recruter des volontaires (jeunes soldats pour la plupart) et leur donner chaque matin quelques rouleaux de film. Le soir venu, de retour du front, je dois porter nos films à l'aéroport afin que Horst les reçoive à Saïgon.

21 FÉVRIER. Le Cambodge, pays que j'adore déjà, sombre dans la folie et la mort, vit les derniers jours d'une guerre qui n'en finit pas. Je demande à Monsieur Li, mon chauffeur, de m'emmener faire un tour de reconnaissance en ville. Al Rockoff, le photographe fou, m'aperçoit depuis le perron de l'hôtel et se précipite vers moi pour me faire une photo en disant :
– Au cas où tu ne reviendrais pas ! Je deviendrais riche !
Je photographie des dragons de pierre bardés de sacs de sable qui protègent l'entrée du Musée national... des astrologues vêtus de tuniques orange qui prédisent l'avenir aux soldats sur les rives du Mékong... le marché aux fleurs où tous les soirs, en rentrant du front j'achète des tubéreuses pour oublier l'odeur de la mort.
Tout a l'air si calme... Et pourtant...
Laissant derrière nous la ville, nous nous dirigeons vers la route numéro 13. Soudain, des cris déchirants fusent des rizières.
– Salauds de Khmers rouges ! s'écrie Monsieur Li. Ils lancent des fusées sur l'ambassade américaine !
Les paysans ont ôté leur chapeau pour mieux voir les bolides de feu qui traversent le ciel. Contrairement aux habitants qui fuient les

rizières, nous nous précipitons au-devant de cette pluie de fusées et d'obus qui embrasent l'horizon devenu jaune.
Un vaste incendie s'est déclenché, envahissant trois quartiers résidentiels de la capitale. Succédant aux tornades rouges qui font se tordre le ciel comme un Van Gogh asiatique, des torsades noires s'avancent vers nous. Des hurlements s'échappent de cette jungle de feu : cris atroces de personnes mutilées, qui ont encore la force de se lever et de courir, ensanglantées, à la recherche d'un abri. Il est presque plus dangereux de chercher à s'enfuir pour atteindre les maisons de bois qui s'embrasent puis sautent l'une après l'autre. Dans toute cette démesure, on entend le râle des blessés et le hennissement des chevaux se cabrant au milieu de la fumée. Les gens, affolés, courent en tous sens, indifférents aux corps déchiquetés... Les hululements des sirènes d'ambulances ajoutent encore à la confusion. Mon appareil photo autour du cou, je me joins à une chaîne de personnes qui, désespérément, jettent des seaux d'eau sur les maisons qui crépitent. Une épouvantable odeur de caoutchouc brûlé nous parvient d'une usine proche et se mêle à celle de la mort...
Le cœur de Phnom-Penh, la ville aux mille glycines, n'est plus qu'un cimetière à ciel ouvert où gisent des cadavres marbrés de rouge qui semblent contempler le ciel de leurs yeux encore ouverts. Je pleure en voyant devant le Café de la Paix un jeune homme sortir d'une maison en flammes pour glisser délicatement un coussin sous la nuque de sa sœur qui repose, inanimée sur le trottoir.

Phnom-Penh, 14 h 30. Les roquettes ont enfin cessé de pleuvoir. L'incendie s'est déplacé plus loin. Nous décidons de retourner sur les lieux du drame. Le feu n'a pas encore terminé son œuvre. Des fumerolles noires s'élèvent partout à l'horizon. Tout le centre de Phnom-Penh n'est plus qu'un vaste champ de ruines. Nous poursuivons cependant notre route dans la chaleur suffocante de l'incendie. Soudain, je me trouve confrontée à une vision apocalyptique. Nous sommes en plein jour. Un "soleil de minuit" éclaire, blafard, un paysage à la Jérôme Bosch. J'ai l'impression d'assister à la fin du monde. Avec mon grand angle je prends la photo historique à l'instant même où un soldat éploré se retourne vers moi en se tenant la tête entre les mains. Mais cette photo ne donne qu'une idée incomplète du drame qui vient de précipiter une ville entière dans le malheur et la tragédie.
Je voudrais que nos photos de guerre puissent crier et dégager des odeurs, que de celle-ci en particulier jaillissent les cris insoutenables qui me poursuivront durant des années. Je voudrais que cette image puisse nous faire parvenir la pestilence de la guerre, de la mort et de la destruction, qu'elle soit le témoin indélébile de cette horreur au bout du monde que fut le bombardement de Phnom-Penh.

1985 : Le Musée de la torture et du génocide. Dix ans ont passé. Je me rends au Musée de la torture et du génocide, dans l'ancien lycée de Tuol Sleng, transformé en centre de torture par les Khmers rouges. Des centaines de photos de suppliciés sont exposées sur les murs des cellules tachés de sang : portraits anonymes, d'intellectuels, de professeurs, de musiciens, dont les os et les crânes reposent à présent dans le charnier des *killing fields* –les champs de la mort. Un mausolée situé à 14 kilomètres de Phnom-Penh, à l'orée des champs de la mort, là où les Khmers rouges abattaient leurs victimes à coup de crosse et de pioche afin d'éviter de gaspiller des balles. Des enfants ont ramassé dans leurs seaux des ossements humains qu'ils ont trouvés au bord des fosses : la fosse des femmes, des enfants, des étrangers.
– Nous avons déjà identifié 6889 crânes, m'apprend le gardien du mausolée de verre où sont amoncelés, pêle-mêle, les vêtements ayant appartenu aux défunts. Le président Sihanouk voudrait enterrer tous ces os, raser le mausolée afin que toutes ces "âmes errantes" trouvent enfin la paix, mais la communauté internationale s'y est opposée.
J'écris dans le grand livre d'or que me tend le gardien et promets que tant que je vivrai je retournerai au Cambodge, je photographierai inlassablement les portraits jaunis des victimes de Tuol Sleng qui s'envolent dans le vent.
Aujourd'hui les Cambodgiens se rendent de moins en moins souvent dans ce qu'ils ont surnommé le musée de l'horreur. Bien que le fameux sourire khmer soit effacé à jamais de leurs visages, que leur vie soit encore peuplée de cauchemars, la jeune génération préfère oublier, aller danser sur les bateaux flottants du Mékong ou dans les discothèques de la ville...

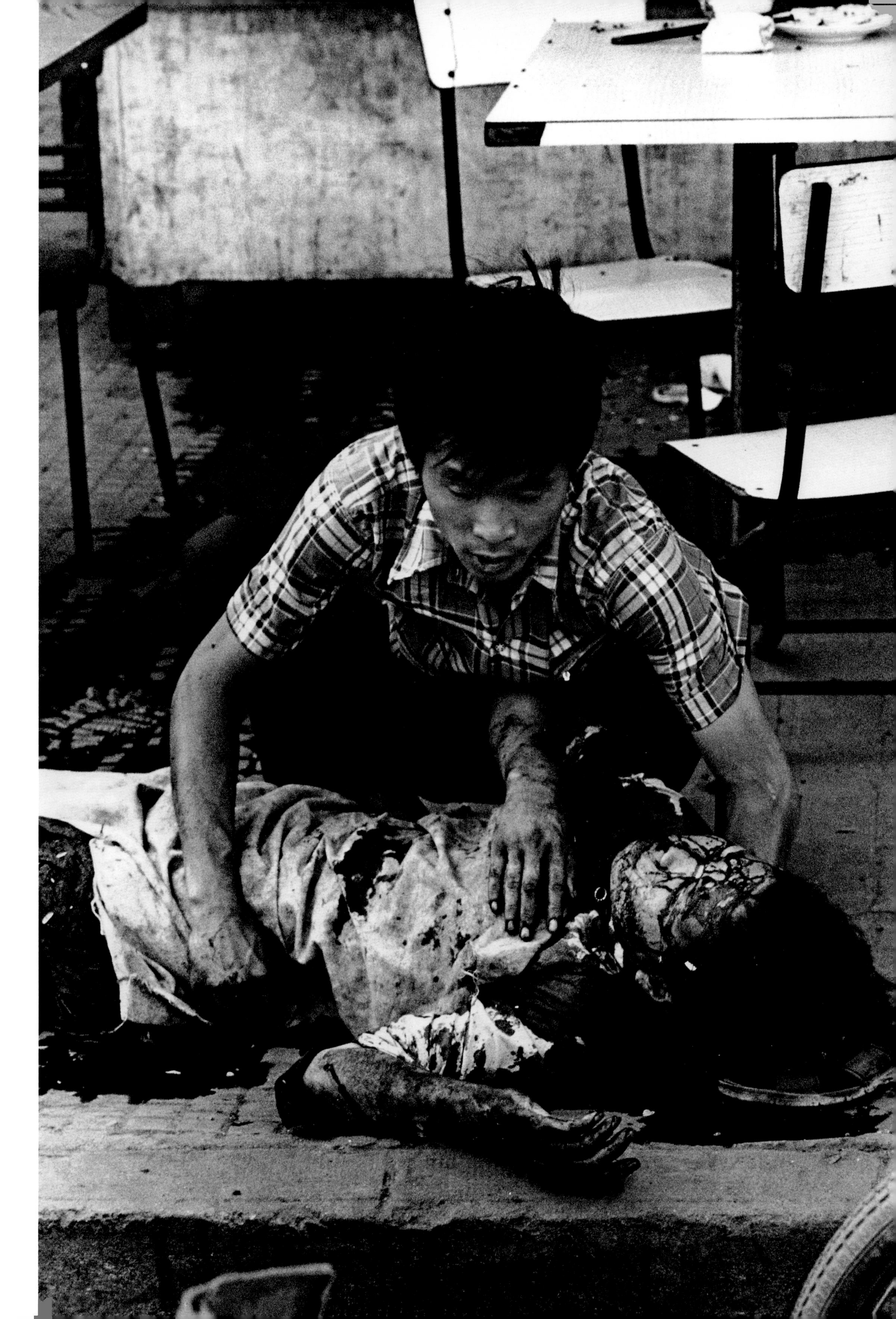

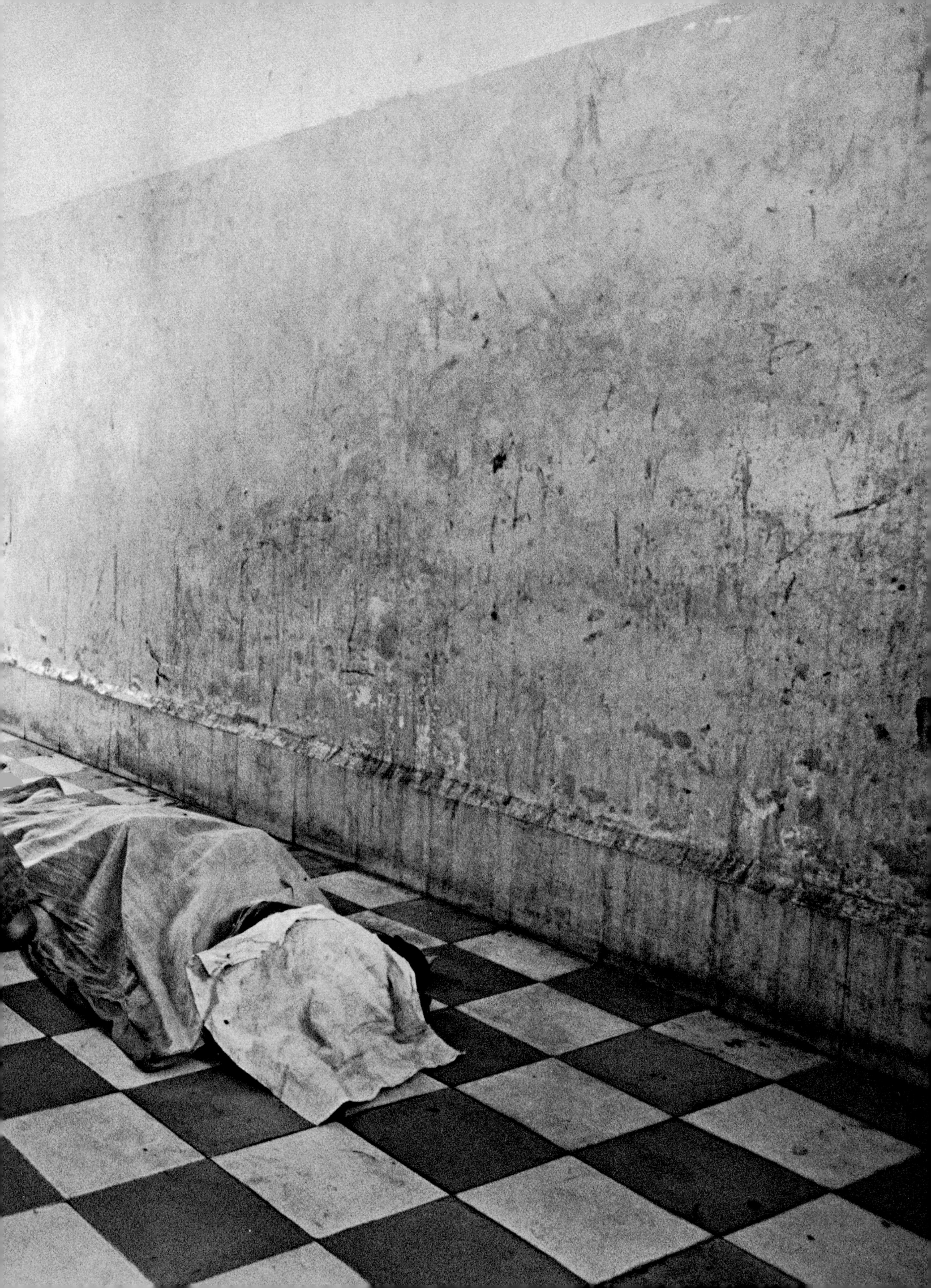

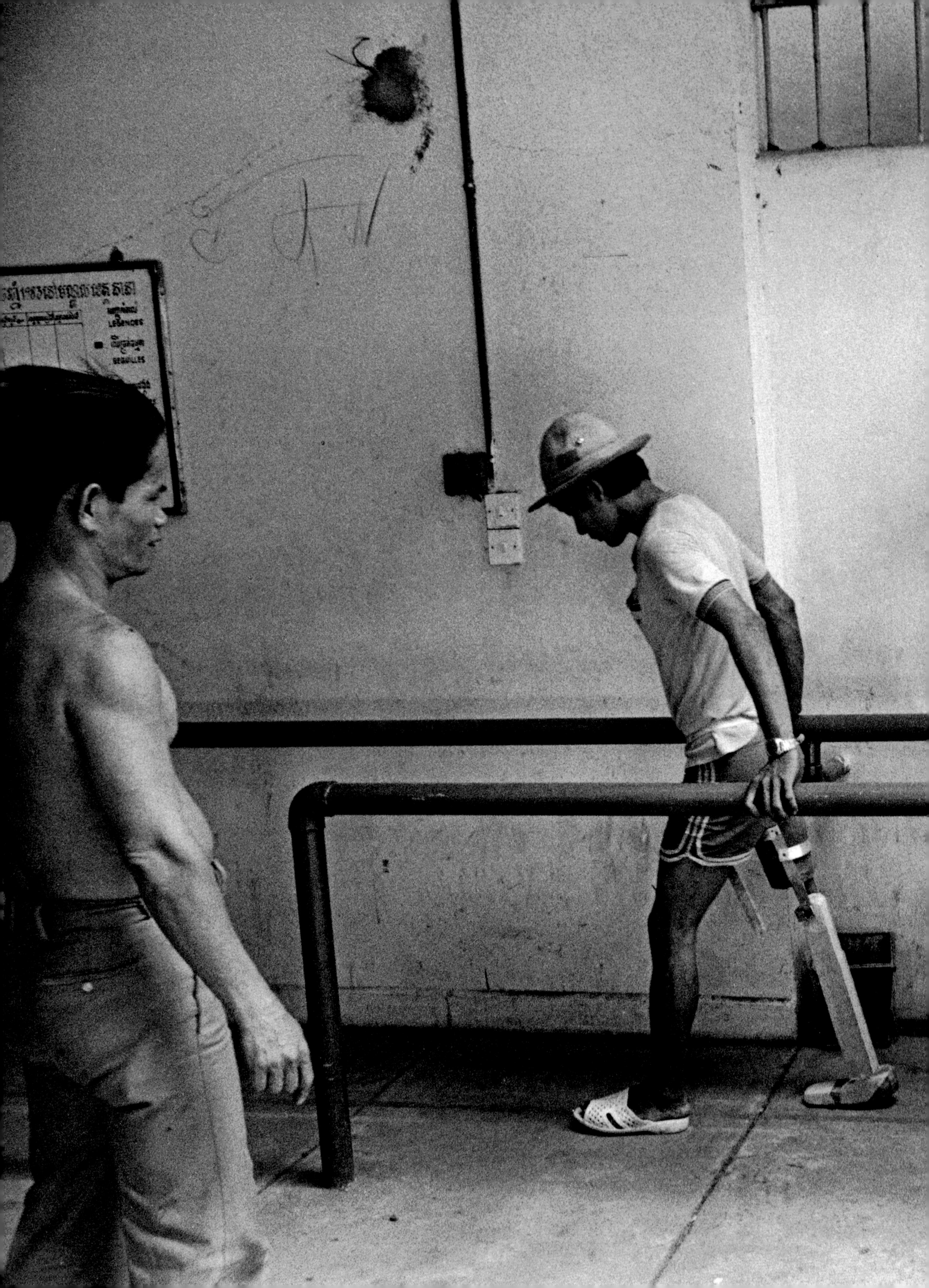
LEGENDES

IK 3488

DANS UNE PARTIE ARIDE DU DÉSERT ALGÉRIEN, BATTUE PAR LE sirocco, la jeune République Arabe Démocratique Sahraouie vient de fêter son premier anniversaire. Chassés de chez eux par les Marocains qui se sont appropriés leurs terres riches en phosphates, à la suite de l'accord tripartite avec l'Espagne, les Sahraouis ont dû fuir sous les bombes, laissant derrière eux leur capitale El-Aiun, son littoral poissonneux jonché de coquillages géants. L'exode fut terrible. Les Marocains avaient empoisonné l'eau des puits. Les vieillards mouraient en cours de route, les femmes accouchaient au bord des chemins…

Avec l'accord des Algériens, "les nouveaux Palestiniens du désert", comme on les surnomma, s'installèrent dans des campements de toile près de Tindouf. Une armée de libération se forma : le Front Polisario, prêt à lutter contre les Marocains jusqu'à la victoire finale :

– Plutôt mourir debout que de vivre humilié, était leur devise.

Dans le désert, pendant que les enfants-soldats s'entraînaient nuit et jour, les femmes avaient pour mission de s'occuper de l'organisation des camps et durent, en cas d'attaque, apprendre à manier la kalachnikov. Elles s'occupèrent des vieillards et des enfants, firent construire des écoles souterraines à l'abri des bombes pour que les plus petits puissent apprendre le Coran. Elles peignirent même des dessins sur les murs des nurseries. Il leur arrivait de troquer leur voile multicolore contre une parka afin d'accompagner les hommes au combat. Elles restaient parfois des mois sans voir leurs maris… Lorsque Suelma, mon amie chef des combattantes, rentrait d'opération, son petit garçon lui demandait toujours :

– Dis-moi maman, est-ce que tu as vu mon papa à Mahbès ?

L'ENFANT DES SABLES. Il est deux heures de l'après-midi quelque part au Sahara occidental. Sous un soleil de plomb, un enfant coiffé d'une petite casquette, engoncé dans une veste des cadets d'Algérie trop grande pour lui m'a suivie toute la journée. Lorsqu'il voit que je veux le prendre en photo devant le drapeau vert, rouge et blanc de la

SAHARA OCCIDENTAL

LES EXILÉS DU DÉSERT 1976-2002

République Sahraouie, il adopte une position guerrière. Remarquant un bandage à son pied gauche, je lui demande :
– Que t'est-il arrivé ?
– Mais voyons, j'ai été blessé moi aussi ! me répond-il avec fierté.

La bataille de Mahbès. Les dirigeants du Front Polisario ont convoqué la presse internationale à Alger pour nous annoncer la reconquête d'une de leurs villes, Mahbès. Fiers de leur victoire (ils ont laissé sur le terrain quatre-cent-cinquante cadavres marocains), ils nous invitent à nous rendre à Tindouf pour visiter les "territoires libérés". Après une demi-journée de route en Land Rover, nous nous engageons dans le défilé qui mène à Mahbès. Un combattant marocain mort nous barre le chemin, sa kalachnikov posée à côté de lui. Nous voici arrivés. Dans ce lieu immobile où siffle le vent, nous nous trouvons confrontés à un paysage dantesque. Des centaines de corps boursouflés gisent un peu partout au milieu des chars rouillés, des mulets éventrés, des boîtes à munitions béantes. Dans une tranchée, un homme gît la bouche ouverte face au soleil. Ahmed, notre guide sahraoui, ramasse le journal de bord d'un colonel marocain dans lequel se trouve une lettre datée du 13 février destinée à son épouse :
"Chère Malika : Ce soir j'ai le cœur gros. Il y a vingt jours que ces cons du Polisario ne se sont pas manifestés mais nous nous attendons au pire. La ville de M'Sied vient de tomber, laissant beaucoup de morts sur le terrain. Il fait quarante-cinq degrés à l'ombre et ce maudit vent, le chergui, s'est levé. Impossible de dormir... Nous commençons à avoir faim. Tous les jours, des légumes secs dans la marmite et plus de cigarettes. Je vais en être réduit à ramasser des mégots comme les autres. Les jours passent, sombres et monotones... C'est ainsi que l'on perd bêtement les plus belles années de notre vie, à la fleur de l'âge, les meilleurs instants de notre jeunesse. Je suis vidé, exténué, et ne pense même plus à ma peau. Le roi nous disait que nous aurions une vraie vie d'homme. Beaucoup de jeunes se sont faits avoir comme moi.
Je doute que je te reverrai, Malika, mon amour, car nous nous attendons à une attaque imminente du Polisario.
Baisers à toi et à notre fils Nordine."

27 janvier 2002. C'est le vingt-septième anniversaire de la République Démocratique Arabe Sahraouie. Elle est divisée en quatre wilayas (provinces) qui portent les noms de leurs villes occupées par les Marocains : El-Aiun, Smara, Dahla et Auserd. Les campements de toile possèdent maintenant l'électricité. Je visite la maison de toile du président Mohammed Abdelazizz... les hôpitaux... l'École des femmes. La guerre s'est interrompue depuis onze ans. Cent cinquante mille réfugiés (dont beaucoup sont nés là) vivent exilés dans ce morceau de désert qui est leur vraie patrie, mais la plupart rêvent de partir à l'étranger car le référendum de l'ONU, leur seul espoir, est sans cesse retardé. Le jeune roi du Maroc, Mohammed VI, annonce à la radio que jamais il ne cédera une once de terrain aux Sahraouis.
Adieu espoir...

Les jeunes, qui n'ont jamais porté un fusil ni connu la guerre, préfèrent aller faire des études en Algérie, en Libye ou à Cuba. Quant aux femmes, elles aussi ont délaissé les armes. Elles continuent de s'occuper de l'organisation des campements et de l'éducation des enfants. Plus coquettes que jamais, elles ont opté pour la féminité la plus extrême. Avec étonnement je vois avancer dans le désert d'authentiques apparitions voilées de gaze verte, rose, mauve ou orange vif, portant lunettes noires et gants de velours. La plupart se dirigent vers le "studio-photo" du campement, récemment ouvert par deux frères.
En revenant, bouleversée, de l'École des Handicapés du "Docteur Castro", je me trouve confrontée à la même scène qu'il y a vingt-sept ans : un enfant de cinq ans, en costume militaire, couvert de médailles, pose au garde-à-vous devant une tente en loques...

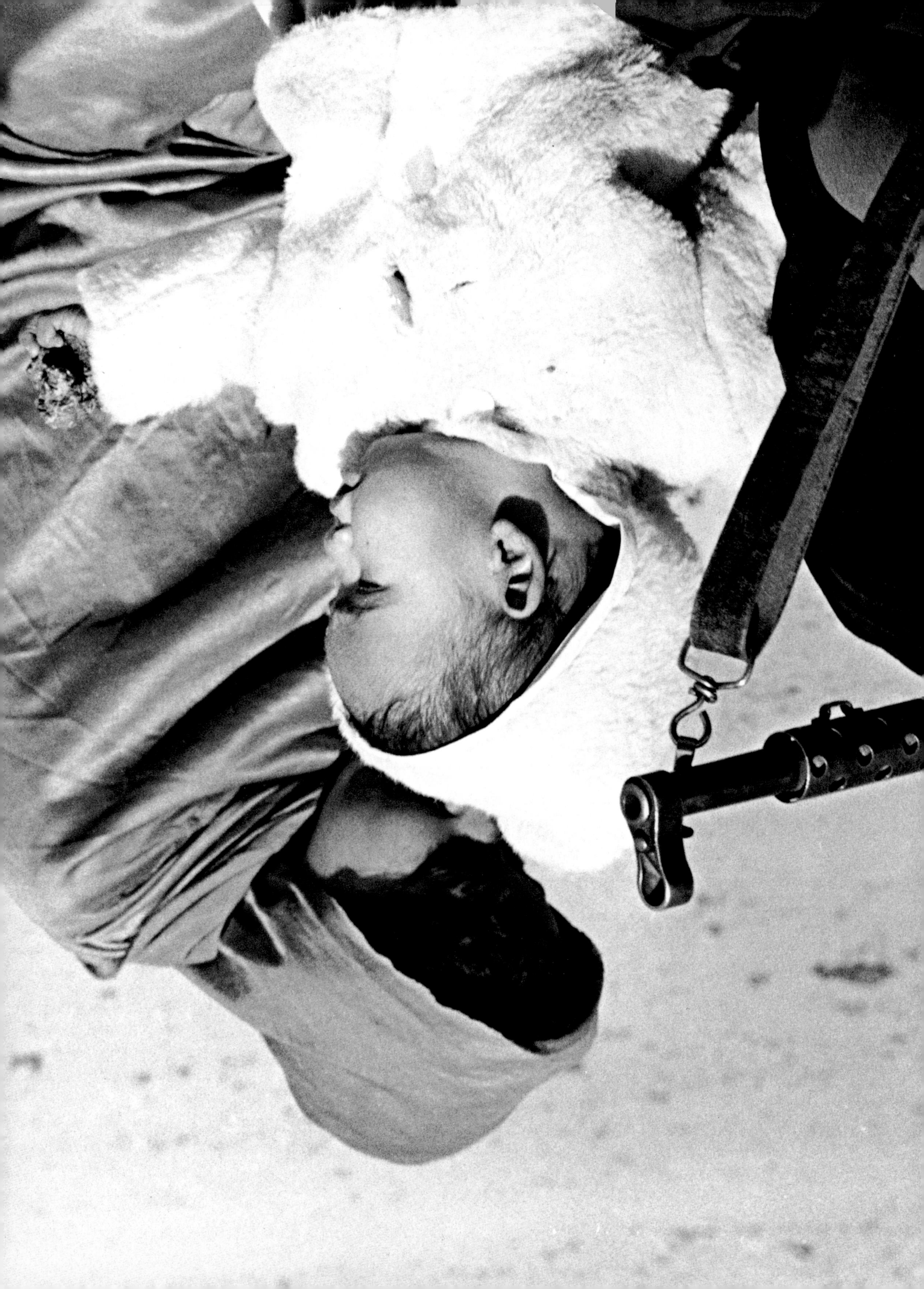

IRAN

LES HABITS NOIRS DE KHOMEINY 1979-1998

LE RETOUR DU RÉDEMPTEUR. APRÈS VINGT-TROIS ANS D'EXIL, l'imam Khomeiny vient d'arriver en provenance de Neauphle-le-Château. C'est lui, le "Rédempteur", qui va sauver l'Iran de la corruption engendrée par les Pahlavi. Tous les soirs les Téhéranais croient voir son portrait dans la lune... Pour lui, les femmes acceptent de mettre à nouveau leur tchador noir ancestral, que les gardes armés, à cheval, leur arrachaient de force du temps du shah lors de violentes manifestations.
Le shah voulait un pays résolument moderne...

LES GARDIENNES DE LA RÉVOLUTION. Sillonnant les rues de la capitale juchées sur de grandes Toyotas noires, d'étonnantes "gardiennes de la révolution" au visage pur, encadré d'un voile noir, font leur apparition le jour de l'anniversaire de la femme islamique. Elles suscitent les applaudissements de la foule, un œillet rouge planté dans le canon de leur fusil sur lequel elles ont inscrit : "Allah o akhbar" (Dieu est le plus grand) :
– Ce tchador, nous expliquent-elles, est pour nous un symbole, un signe de ralliement, et nous ne pouvons faire aucune compromission. Il est noir, il est chaud, peu pratique, certes, mais si nous le transformions ce ne serait plus un tchador. Aujourd'hui c'est lui qui fait l'unité de la femme islamique.
Certaines vont même jusqu'à se voiler entièrement le visage à la façon des Irakiennes...

L'euphorie est partout. Les rues ont été rebaptisées.
La place de la Révolution "anti-shah" durant laquelle des manifestants affrontaient les tanks, poitrine nue, portant devant eux à bout de bras un cercueil, est devenue la place de la Liberté, où les gens ont pris maintenant l'habitude de venir pique-niquer à toute heure du jour.
La rue du "Park Hotel" s'appelle désormais "Neauphle-le-Château Street", en hommage à la France qui a hébergé Khomeiny.
Je prends en photo une petite fille engoncée dans un minuscule tchador, une immense poupée made in France dans les bras...
À l'entrée du bazar de Téhéran des femmes me sourient en décou-

vrant leur beau visage devant des robes de mariée garnies de ruches et de dentelles :
– Merci de montrer que nous sommes belles malgré notre voile !

Le parc Horram. Des centaines de Téhéranais se rendent chaque jour dans le parc Horram –un Disneyland que le shah avait fait construire, et surnommé aujourd'hui par Khomeiny : "Parc du Peuple".
Dans cet immense Luna Park où ils se rendent en famille (les femmes sont à plusieurs dans le coffre des voitures...) ils veulent tout voir, tout contempler : le casino flottant, les restaurants privés, la piscine au bord de laquelle la famille impériale donnait autrefois des fêtes...
Je photographie une vieille femme en tchador dans un manège, qui, accompagnée de sa petite-fille, conduit une avionnette dotée de mitraillettes. Sur une affiche, une star blonde qui rappelle Rita Hayworth vante une marque de cigarettes américaines.
Les gardiens de la révolution ne tarderont pas à recouvrir de chaux les bras et les seins dénudés de cette femme impie qui ose montrer à tous ses dents de porcelaine.
Les rues sont peuplées d'hommes en armes, de mollahs enturbannés arborant un fusil sur leurs poitrines. La musique est interdite... La presse, censurée. Les prisons sont pleines d'opposants au régime...

En Iran, religion et politique ne font qu'un. Nous entrons dans le domaine du noir...
Surnommée "Sheitoon" (petit diable) par mes confrères, grâce à mon foulard qui m'identifie aux Iraniennes, je peux tout faire, tout photographier dans Téhéran en folie : l'entraînement secret des gardiennes de la révolution, la prière des femmes, les enterrements...
Escortée par les propres gardiens de la révolution qui me guident dans les méandres de l'aéroport, j'expédie chaque soir mes photos. Celles-ci seront diffusées dans quarante pays du monde. Mais ici on l'ignore, bien évidemment, et les gens me remercient de m'habiller en noir et de respecter le hidjab –la pudeur.

Week-end à la mer caspienne. Bientôt les plages seront séparées par d'énormes digues de béton équipées de gigantesques haut-parleurs diffusant uniquement de la musique religieuse et des versets du Coran. Pour l'instant les femmes entrent dans l'eau entièrement voilées, tandis que les hommes, eux, ont droit à de mini-maillots de bain.
Quelques semaines plus tard, je me rends en hélicoptère dans le nord du pays pour photographier les premières répressions contre les Kurdes menées par l'odieux Ayatollah Khalkhali, surnommé : "le Boucher aux mains rouges" ; puis la révolte de Khorramshar, dans le sud du pays, où des enfants masqués me menacent, revolver au poing.

Le cimetière des martyrs de Qöm. En rentrant de la Ville Sainte de Qöm où je viens d'être reçue par l'imam Khomeiny en présence de sa femme et de ses filles, je tombe tout à fait par hasard sur un cimetière étonnant, nimbé de brume, qui attire aussitôt mon attention. Je m'engage dans ce dédale de stèles hérissées au bout desquelles sont plantés les portraits des défunts. Étrange... dans un pays où la photo est proscrite.
J'appuie sur le déclencheur au moment où deux femmes en tchador, le visage masqué de lunettes noires, traversent le cimetière en devisant dans le crépuscule...
Dix ans plus tard, à l'occasion de la mort de l'imam, je me rends dans ce petit cimetière qui m'avait tant frappé. Je suis surprise en voyant qu'il s'étend à perte de vue, sur des dizaines de kilomètres... Les portraits des défunts sont devenus immenses. Des artistes locaux n'ont pas hésité à colorier les visages.
Ici il n'y a pas de différence entre les morts et les vivants. Les gens viennent se recueillir dans ces lieux de repos, fleuris de roses et d'héliotropes, non loin desquels bruit parfois une fontaine remplie d'eau rouge symbolisant le sang des martyrs.
L'Iran a le culte du souvenir...
Dès mon retour en France, j'irai en Alsace.
Comme les femmes iraniennes, je déposerai sur la tombe d'Éric les fleurs, les portraits et l'encens...

ISUZU

خیابان
نوفل لوشاتو
NEAUPHLE-LE-CHATEAU St.

اسلامی

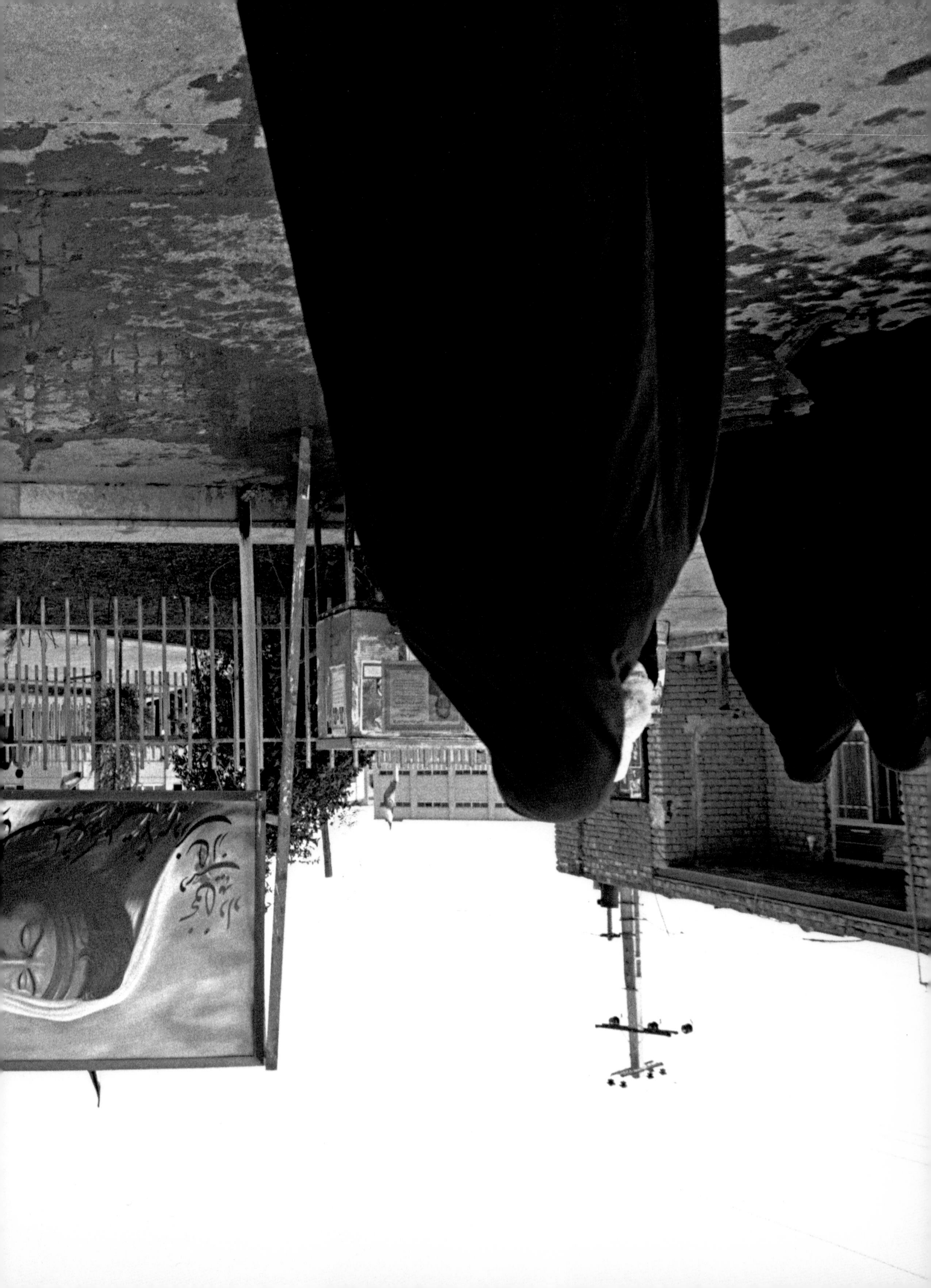

امام خمینی
خواهرم
در محضر شهیدان
حجاب
را رعایت کنید

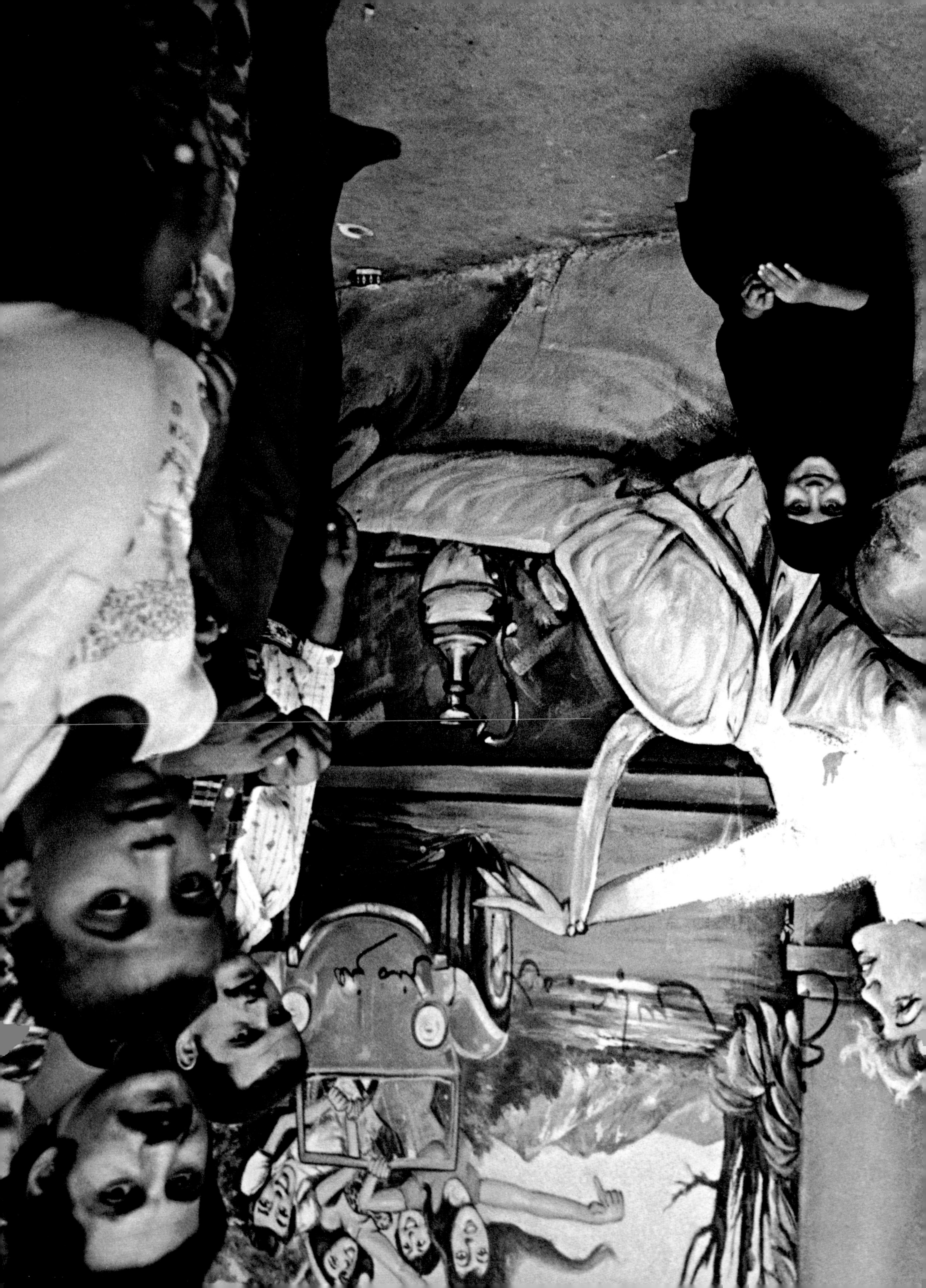

LUCK

LUCK

1
2
3
6

4
5
8
9

LE RETOUR DU RÉDEMPTEUR. APRÈS VINGT-TROIS ANS D'EXIL, l'imam Khomeiny vient d'arriver en provenance de Neauphle-le-Château. C'est lui, le "Rédempteur", qui va sauver l'Iran de la corruption engendrée par les Pahlavi. Tous les soirs les Téhéranais croient voir son portrait dans la lune... Pour lui, les femmes acceptent de mettre à nouveau leur tchador noir ancestral, que les gardes armés, à cheval, leur arrachaient de force du temps du shah lors de violentes manifestations.
Le shah voulait un pays résolument moderne...

LES GARDIENNES DE LA RÉVOLUTION. Sillonnant les rues de la capitale juchées sur de grandes Toyotas noires, d'étonnantes "gardiennes de la révolution" au visage pur, encadré d'un voile noir, font leur apparition le jour de l'anniversaire de la femme islamique. Elles suscitent les applaudissements de la foule, un œillet rouge planté dans le canon de leur fusil sur lequel elles ont inscrit : "Allah o akhbar" (Dieu est le plus grand) :
– Ce tchador, nous expliquent-elles, est pour nous un symbole, un signe de ralliement, et nous ne pouvons faire aucune compromission. Il est noir, il est chaud, peu pratique, certes, mais si nous le transformions ce ne serait plus un tchador. Aujourd'hui c'est lui qui fait l'unité de la femme islamique.
Certaines vont même jusqu'à se voiler entièrement le visage à la façon des Irakiennes...

L'euphorie est partout. Les rues ont été rebaptisées.
La place de la Révolution "anti-shah" durant laquelle des manifestants affrontaient les tanks, poitrine nue, portant devant eux à bout de bras un cercueil, est devenue la place de la Liberté, où les gens ont pris maintenant l'habitude de venir pique-niquer à toute heure du jour.
La rue du "Park Hotel" s'appelle désormais "Neauphle-le-Château Street", en hommage à la France qui a hébergé Khomeiny.
Je prends en photo une petite fille engoncée dans un minuscule tchador, une immense poupée made in France dans les bras...
À l'entrée du bazar de Téhéran des femmes me sourient en décou-

IRAN

LES HABITS NOIRS DE KHOMEINY 1979-1998

vrant leur beau visage devant des robes de mariée garnies de ruches et de dentelles :
– Merci de montrer que nous sommes belles malgré notre voile !

Le parc Horram. Des centaines de Téhéranais se rendent chaque jour dans le parc Horram –un Disneyland que le shah avait fait construire, et surnommé aujourd'hui par Khomeiny : "Parc du Peuple".
Dans cet immense Luna Park où ils se rendent en famille (les femmes sont à plusieurs dans le coffre des voitures...) ils veulent tout voir, tout contempler : le casino flottant, les restaurants privés, la piscine au bord de laquelle la famille impériale donnait autrefois des fêtes...
Je photographie une vieille femme en tchador dans un manège, qui, accompagnée de sa petite-fille, conduit une avionnette dotée de mitraillettes. Sur une affiche, une star blonde qui rappelle Rita Hayworth vante une marque de cigarettes américaines.
Les gardiens de la révolution ne tarderont pas à recouvrir de chaux les bras et les seins dénudés de cette femme impie qui ose montrer à tous ses dents de porcelaine.
Les rues sont peuplées d'hommes en armes, de mollahs enturbannés arborant un fusil sur leurs poitrines. La musique est interdite... La presse, censurée. Les prisons sont pleines d'opposants au régime...

En Iran, religion et politique ne font qu'un. Nous entrons dans le domaine du noir...
Surnommée "Sheitoon" (petit diable) par mes confrères, grâce à mon foulard qui m'identifie aux Iraniennes, je peux tout faire, tout photographier dans Téhéran en folie : l'entraînement secret des gardiennes de la révolution, la prière des femmes, les enterrements...
Escortée par les propres gardiens de la révolution qui me guident dans les méandres de l'aéroport, j'expédie chaque soir mes photos. Celles-ci seront diffusées dans quarante pays du monde. Mais ici on l'ignore, bien évidemment, et les gens me remercient de m'habiller en noir et de respecter le hidjab –la pudeur.

Week-end à la mer caspienne. Bientôt les plages seront séparées par d'énormes digues de béton équipées de gigantesques haut-parleurs diffusant uniquement de la musique religieuse et des versets du Coran. Pour l'instant les femmes entrent dans l'eau entièrement voilées, tandis que les hommes, eux, ont droit à de mini-maillots de bain.
Quelques semaines plus tard, je me rends en hélicoptère dans le nord du pays pour photographier les premières répressions contre les Kurdes menées par l'odieux Ayatollah Khalkhali, surnommé : "le Boucher aux mains rouges" ; puis la révolte de Khorramshar, dans le sud du pays, où des enfants masqués me menacent, revolver au poing.

Le cimetière des martyrs de Qöm. En rentrant de la Ville Sainte de Qöm où je viens d'être reçue par l'imam Khomeiny en présence de sa femme et de ses filles, je tombe tout à fait par hasard sur un cimetière étonnant, nimbé de brume, qui attire aussitôt mon attention. Je m'engage dans ce dédale de stèles hérissées au bout desquelles sont plantés les portraits des défunts. Étrange... dans un pays où la photo est proscrite.
J'appuie sur le déclencheur au moment où deux femmes en tchador, le visage masqué de lunettes noires, traversent le cimetière en devisant dans le crépuscule...
Dix ans plus tard, à l'occasion de la mort de l'imam, je me rends dans ce petit cimetière qui m'avait tant frappé. Je suis surprise en voyant qu'il s'étend à perte de vue, sur des dizaines de kilomètres... Les portraits des défunts sont devenus immenses. Des artistes locaux n'ont pas hésité à colorier les visages.
Ici il n'y a pas de différence entre les morts et les vivants. Les gens viennent se recueillir dans ces lieux de repos, fleuris de roses et d'héliotropes, non loin desquels bruit parfois une fontaine remplie d'eau rouge symbolisant le sang des martyrs.
L'Iran a le culte du souvenir...
Dès mon retour en France, j'irai en Alsace.
Comme les femmes iraniennes, je déposerai sur la tombe d'Éric les fleurs, les portraits et l'encens...

ISUZU

نوفل لوشاتو
NEAUPHLE-LE-CHATEAU-St.

سردار شهید اسلام اسماعیل صادقی
فاتح خیبر در محراب شهادت
شیران بیشه شهادت سرداران

از دست نخواهد داد

امام خمینی
هان ای شهیدان در جوار حق تعالی
خواهرم
در محضر شهیدان
حجاب
را رعایت کنید

LUCK

LUCK

AMÉRIQUE DU SUD

UN NOËL AU SALVADOR
1981

J'ARRIVE EN AVION DU NICARAGUA. C'EST LA VEILLE DE NOËL. SUR chaque côté de l'autoroute, des panneaux fluorescents proclament : "Dios te ama..." (Dieu t'aime).
J'apprends par la radio que six leaders de la gauche viennent d'être enlevés en plein centre ville. La nouvelle se propage comme une traînée de poudre, et l'on craint le pire. À vrai dire, ils sont déjà morts. Les paramilitaires de droite les ont emmenés au nord du lac Ilopango –"le dépotoir", comme l'appellent entre eux les journalistes...
Pour les retrouver, il suffit de demander aux gens. Ils vous indiquent le chemin d'un geste las, sans même lever le visage de leur bêche, tandis que le soleil, déjà haut, fait scintiller le bleu du lac au point d'en être insupportable.
Le visage collé à la fenêtre de mon taxi, j'aperçois des femmes s'affairant autour de grands braseros dans la fumée âcre des pupuserias, ces gargotes ouvertes jour et nuit où l'on boit jusqu'au petit matin.
"La nuit tombée, nul ne s'aventure dans ce quartier mal famé de la Concepción, de peur d'avoir la tête coupée", m'explique le chauffeur.
Le Salvador bat le record de toutes les violences : neuf mille meurtres en un an ! Jamais autant d'horreur n'a été concentrée dans un aussi petit pays.
Nous arrivons enfin à l'hôtel Camino Real. J'ai un choc. Sur le perron se trouve un amas de corps humains déchiquetés à la machette, ces sinistres couteaux avec lesquels les Escadrons de la Mort découpent leurs victimes...
L'hôtel est vide, à l'exception de trois Médecins du Monde qui fument en silence au bord de la piscine. Depuis ma chambre je contemple la ville, apparemment si normale. Des centaines d'enseignes lumineuses brillent dans la nuit. Les cloches de la cathédrale carillonnent sans cesse. Un Père Noël sponsorisé par les magasins Sears descend du ciel en hélicoptère pour distribuer des cadeaux aux enfants.
On vient de retrouver le corps de "Quique" Alvarez, membre de l'oligarchie salvadorienne, dont le passage à gauche, il y a un an, avait fait beaucoup de bruit. À présent il gît là, au bord du lac Ilopango, la bouche ouverte, criblé de balles, à proximité d'un panneau où est écrit : "Prohibido botar basura" (Défense de jeter des ordures). Dans sa poche on a retrouvé un porte-clés du Nicaragua qui dit : "Sandino hier, aujourd'hui et toujours."
Des femmes descendent vers la ville, un panier d'orchidées sur la tête, et se signent en passant près des cadavres.
Nous nous dirigeons à toute allure vers la morgue de San Cristobal. Devant la porte, les gens et les enfants s'agglutinent aux grilles pour apercevoir la pièce du fond, encombrée de cercueils et de crucifix, où l'on dépose les corps sur des couvertures au milieu des tonneaux et des bocaux de verre.
Au Salvador les morgues improvisées ou funerarias font fortune. Les enfants s'y rendent par jeu, de la même façon dont ils se rendront l'après-midi à la Fête de l'Indianité pour se faire photographier, déguisés, devant des portraits géants du pape.
Un homme, au bord des larmes, nous prend à témoin :
– Ils vont finir par nous exterminer ! Si ça continue, il va falloir ouvrir de nouveaux cimetières !
Soudain, la radio annonce : "Huit morts viennent d'être retrouvés dans le quartier de Mexicanos à la suite de violents affrontements qui ont eu lieu cette nuit entre rebelles et forces de l'ordre. Voici leur signalement : jeans bleus, chaussures marron, âge moyen : cinquante ans. Les familles sont priées de venir les chercher."
– Pour voir des morts, m'avaient dit les confrères, il te suffira de prendre un taxi et de faire une virée dans les faubourgs.
Je n'oublierai jamais cette photo terrible du policier jetant dans le coffre arrière d'une voiture un jeune mort au visage ensanglanté. Tant de haine et d'atrocité accumulées en ces jours de fête !
Je revois les visages terrifiés de ces campesinos (paysans) entrevus à l'Archevêché, qui ont fui, pour la plupart, les zones du Morazan et du Chalatenango, encore hantés par le souvenir des massacres :
– Avant d'être tué, mon frère a eu les mains tranchées, puis les bras, nous raconte une femme.
Un homme nous dit en sanglotant :
– Ma fille a eu le ventre ouvert. Ils ont enlevé le fœtus qu'elle portait pour le donner à manger aux chiens !
Lorsque je quitte le Salvador pour la Bolivie je ne suis plus la même. Jamais je n'avais vu tant d'horreur ni de barbarie, jamais la guerre ne m'avait parue si atroce.

301 PBB

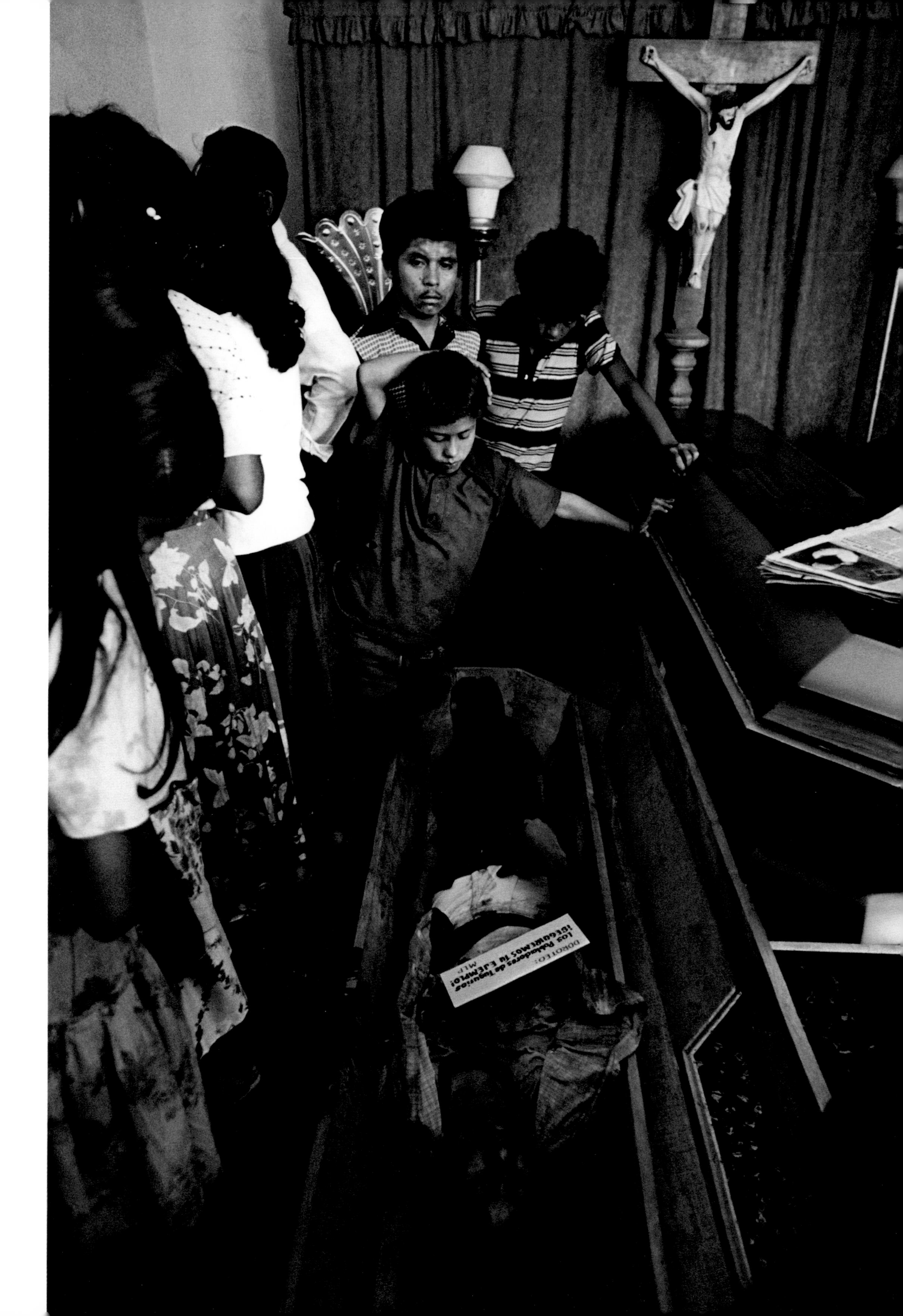
DOROTEO:
Los Pobladores de Tugurios
¡SEGUIREMOS TU EJEMPLO!
MLP

HUMBERTO
MENDOZA
DE LA DIRIGENCIA
FDR Y MLP

D.H.D

JE VIENS DE PASSER UNE JOURNÉE ÉPUISANTE SUR LE FRONT. Avant de s'endormir, mon guide palestinien me demande si je suis satisfaite de mon travail et si j'ai fait toutes les photos que je souhaitais.
Sur la route, un cortège nuptial précédé d'une Mercedes blanche garnie de rubans roses tente de dépasser à grands coups de klaxon un tank de l'OLP chargé de fedayins. Saisissant mon Nikon, j'essaie de faire la photo-symbole. Lorsque Assem ouvre les yeux, réveillé par le déclic, le cortège nuptial est déjà loin, mais le tank de l'OLP est toujours présent.
– Comment ? Tu profites de mon sommeil pour photographier des objectifs stratégiques ! Tu n'es qu'une espionne au service d'Israël !
De retour au siège de l'OLP, il déchire mon laissez-passer pour m'empêcher de travailler dans Beyrouth-Ouest où je vis depuis plusieurs mois.
Ce que j'ignore, c'est qu'il va diffuser ma photo à tous les check points (barrages) de la ville.
Un matin, alors que je sillonne la capitale en voiture, les terribles morabitounes, gardiens de la ligne de démarcation, se précipitent sur moi, me confisquent mes appareils et ordonnent au chauffeur de taxi de partir. Ils m'attachent les mains dans le dos et m'entraînent dans une guérite où je vois ma photo épinglée au mur :
– Ainsi donc, toi, la sawda (la femme en noir), tu es une espionne sioniste ?
L'un d'entre eux se baisse pour ramasser une vieille veste de combat qui traîne par terre. Il sort ensuite un couteau de sa poche et la découpe en lanières pour en faire un bandeau. Je fais un geste de recul.
– Non ! Pas ça !
Ce bandeau que j'ai cent fois photographié est aujourd'hui le mien. Les morabitounes me font défiler dans la rue Hamra au milieu d'un groupe de prisonniers israéliens. Ils s'agitent, me donnent des coups de crosse, crient sur mon passage :

LIBAN

À TRAVERS LES YEUX BANDÉS 1982-1994

– Jasusa suhinya ! Espionne !
Les images se bousculent. Je pense à toutes ces années... À tous ces gens qui ont tour à tour pleuré et souri devant mon objectif. À toutes ces choses belles et atroces que j'ai photographiées sous le soleil noir de la guerre.
Je revois mon enfance heureuse avec Éric, le visage aimé de tante Marcelle qui m'attend à Madrid pour fêter bientôt avec moi son quatre-vingtième anniversaire.
C'est étrange de penser que je vais peut-être mourir avant elle.
Je pense à toutes ces photos prises depuis mon arrivée à Beyrouth-Ouest : les veuves sanglotant désespérément sur les tombes du cimetière des martyrs réservé aux combattants de l'OLP... la femme en noir, qui, armée d'une kalachnikov, défendait fièrement sa maison... l'enfant qui fait semblant de tirer sur la pancarte représentant les "trois cochons" (le président Gemayel et ses frères)... l'hôpital psychiatrique de Sabra où un homme en pyjama regardait en silence les ruines de la ville anéantie par les bombardements israéliens...
Je me souviens avec émotion des femmes qui me regardaient droit dans les yeux en me tendant les portraits de leurs martyrs...
Mais aujourd'hui quelque chose de très grave, extérieur à moi, a enrayé la machine. Ce n'est pas le moment de penser aux êtres aimés.
Pour la première fois je découvre le visage terrifiant de mes bourreaux, les dents de tigre qui pendent à leur cou, leurs kalachnikovs, qui, cette fois-ci, se dressent contre moi. Ils sont la terreur de la ligne de démarcation, dévalisant chaque jour les passants, dérobant montres, bijoux et appareils photo.
Comment oublier ce grand drapeau rouge et noir planté dans un bidon rouillé, à côté d'une tête de mort, à l'entrée de ce même passage du Musée ? Chaque soir, en tremblant, je devais l'emprunter pour expédier mes photos dans le Beyrouth chrétien...
Terrorisée au milieu de ces hommes qui vocifèrent, qui ont perdu la raison, je suis une femme solitaire dans la guerre. Personne ne peut imaginer où je suis, personne ne peut m'aider. J'attends que mon destin s'accomplisse.
Les yeux toujours bandés, ils m'emmènent en camion dans un lieu inconnu, à des dizaines de kilomètres de la capitale.
Je suis jugée par un tribunal révolutionnaire pendant lequel un enfant palestinien ne cesse de braquer son revolver sur ma tempe :
– Tu es une espionne d'Israël, reconnais-le ! Pourquoi apprends-tu l'arabe ? Pourquoi, toi, femme, viens-tu si souvent au Liban alors que ton agence pourrait envoyer des correspondants de guerre masculins ?
Après une journée d'humiliations et d'angoisse, à ma grande surprise je suis libérée in extremis grâce à l'intervention du leader druze Walid Jumblatt. Lorsque je rentre sous les bombardements israéliens vers notre hôtel Commodore, j'ai l'impression d'être un torero sortant de l'arène.

BEYROUTH-OUEST, 1996 : L'ESPOIR. J'ai voulu revenir à Beyrouth. Retrouver la ligne de démarcation à présent envahie de ronces et d'herbes folles où vivent des centaines de réfugiés syriens.
Je photographie mon amie Fawzia, en robe de chambre rouge, transportant au milieu des ruines un portrait du pape qui, selon les dernières nouvelles, devrait bientôt venir. Va-t-il les sauver ? Fawzia pose, le visage grave, devant un graffiti en forme de cœur qui dit : LOVE... Au Liban, même pendant la guerre, l'amour de la vie a toujours été plus fort que tout.
Quelques jours plus tard, je photographie une jeune mariée resplendissante qui agite un grand drapeau libanais devant un édifice délabré...
Je me souviens aussi de cette dame, côté chrétien, qui tous les soirs s'asseyait en robe longue à son piano, dans sa maison dévastée par les bombes, pour jouer des sonates de Mozart...
On dansait même sous les bombes à Beyrouth...

nKey for sell

السيد موسى الصدر

فاروق ابراهيم غندور

Papa Giovanni Paolo
LOVE

ISLAMABAD, PAKISTAN. 21 AVRIL 1997. J'AI PEUR DE RETOURNER À Kaboul, que j'ai connue pendant l'occupation soviétique en 1980. Peur de retrouver cette ville à l'agonie, plongée dans la nuit noire, où les femmes sont obligées de porter la burqa –ce long voile grillagé qui ne laisse même pas voir les yeux.

Le Taliban qui tamponne mon passeport à l'aéroport de Kaboul a un geste de rejet en apercevant ma photo de femme parisienne maquillée et souriante, puis, me voyant voilée de la tête aux pieds, il sourit et me dit :

– C'est bien de porter le hedjab (le voile).

Il jette ensuite un regard sur Jean-Philippe, mon compagnon de voyage, barbu et vêtu à la mode afghane.

Apercevant la lanière de mon appareil photo, il ajoute :

– Tu ne peux photographier aucun être vivant, seulement des objets inanimés. Surtout pas de femmes !

Y a-t-il seulement encore des femmes dans les rues de Kaboul ? Elles n'ont plus le droit de sortir de chez elles, d'aller au hammam, de laver leur linge dans la rivière...

Pire encore, elles ne peuvent aller à l'école, à l'université, ni travailler. La musique est interdite...

Même les enfants savent qu'il leur est défendu de se laisser photographier par les étrangers. Les gens enterrent leurs portraits de famille, la nuit, dans leur jardin...

En arrivant à l'hôtel Intercontinental, siège obligé des rares journalistes de passage, le vieux gardien en livrée grenat à boutons d'or, Mr. Mohammat Jan, accourt sur le perron pour nous accueillir. Il me reconnaît et me souhaite la bienvenue :

– Welcome back, Miss Christine ! Je me souviens de vous. Vous portiez des turbans !

Je remarque aussitôt que les grandes plaques en cuivre doré qui décoraient autrefois la façade de l'hôtel ont été arrachées. À l'intérieur de la salle à manger, les répliques des grands bouddhas de Bamyan ont disparu. Je contemple avec tristesse la piscine vide, le "Ball Room" transformé en salle de prière.

Soudain, un groupe de Talibans armés fait irruption. Je rajuste furtivement mon voile et baisse les yeux. Je sais qu'une femme n'a pas le droit de regarder les hommes en face. Après avoir vérifié notre identité, ils nous ordonnent de nous rendre immédiatement au ministère des Affaires spirituelles. Puis ils repartent vers leurs sinistres occupations, frapper à coups de bâton ou de fouet les mendiants, les récalcitrants, pour les faire entrer de force dans les mosquées.

AFGHANISTAN

LES FEMMES-MARTYRES DE KABOUL 1985-1997

Quant aux mollahs, ils ne cessent de rabâcher au peuple :
– À bas les Allemands, les Français et les Japonais !
Kaboul la magnifique, l'ancienne perle de l'Orient, n'est plus qu'un vaste champ de ruines... Des drapeaux rouges sont plantés un peu partout, indiquant que le sol est miné. Chaque jour des dizaines de personnes accourent au centre de la Croix-Rouge internationale. Le seul endroit d'Afghanistan où l'on fasse des prothèses.
Le cœur serré, je photographie un enfant chétif qui s'obstine à marcher le long d'un mur avec une jambe artificielle.
Notre chauffeur nous conduit ensuite dans le tunnel maudit où les Talibans exposent les hommes nus non épilés qui osent braver la chari'ah :
– Personne n'ose emprunter ce tunnel, de peur d'être soumis à la vérification des aisselles et du pubis !
Nous passons devant la grande place où ont été pendus l'ancien président Nadjibullah et son frère :
– Pendant plusieurs jours les Talibans laissèrent pendre des cordes dans la ville pour faire peur à la foule !...
Nous avons enfin réussi à obtenir un rendez-vous avec le vice-ministre du Vice et de la Vertu. Il a la réputation de ne pas aimer les étrangers –encore moins les femmes. Mon guide me recommande de me couvrir entièrement le visage. J'enfile une longue gabardine, puis j'occulte mon visage derrière un grand foulard. J'ai presque l'air d'une femme afghane...
– Pourquoi la musique, les photos sont-elles interdites ? lui dis-je, installée à même le sol.
Et pourquoi la femme n'a-t-elle plus le droit de sortir de chez elle, d'aller à l'école et à l'université ?
– Nous avons un million et demi de martyrs. Comment le peuple peut-il prétendre écouter de la musique ? Ils n'ont qu'à écouter Radio Chari'ah et les versets du Coran. Quant aux photos, s'écrie-t-il furieux, si j'en voyais une je la détruirais en mille morceaux ! Les statues, les sculptures, je les briserais ! D'ailleurs lorsque nous prendrons la ville de Bamyan, nous dynamiterons les bouddhas ! Les femmes sont soumises à la loi inexorable du Coran. Sinon, elle seront battues.
Courroucé, le député ministre fait signe à mon interprète que l'interview est terminée :
– Qu'elle boive son thé, c'est la coutume, et qu'elle parte !
L'entretien est clos.
Nous partons à reculons, bien décidés à ne plus remettre les pieds dans cet endroit lugubre.

LES FEMMES-MARTYRES DE HÉRAT. Nous décidons, Jean-Philippe et moi, de traverser tout le pays dans un petit taxi jaune pour nous rendre à Hérat, la ville la plus rebelle aux Talibans.
Nous arrivons enfin, après plusieurs jours de voyage harassant au milieu du désert jonché de chars, de carcasses rouillées. Des cimetières abandonnés s'étendent à perte de vue...
Contrairement à Kaboul, la ville est animée. Des centaines de femmes, recouvertes d'un tchadri bleu pâle, parcourent la ville en fiacre. Si elles laissent apercevoir leurs chevilles, elles reçoivent immédiatement un coup de fouet. Si Kaboul est une ville-martyre, Hérat est une ville rebelle. C'est elle qui a été envahie depuis longtemps par les Talibans, mais c'est elle qui leur a opposé le plus de résistance. C'est ici que les Afghanes osèrent manifester dans les rues lorsque les Talibans leur interdirent l'entrée des hammams.
Je veux visiter un hôpital –le seul endroit où les Talibans n'ont pas le droit de rentrer. Comment faire ? La directrice de Médecins du Monde peut m'aider.
– Pourquoi ne pas vous cacher sous une burqa ? Vous passeriez inaperçue au milieu des femmes...
Elles sont là, avec leurs bébés dans les bras, emmaillotés comme des momies égyptiennes. Par crainte, elles refusent d'ôter leur tchadri pour qu'on ne les reconnaisse pas. Elles se laissent pourtant photographier tandis que je leur parle. Sous leur voile, je sais qu'elles me regardent. J'aimerais tellement voir leurs yeux !...
– La vie avec les Talibans est encore pire que la guerre ! me disent-elles en pleurant. Au moins avant nous étions libres ! Nous avions une chance de survivre.

LES MADONES AFGHANES. Bouleversée, j'apprends par la directrice de Médecins du Monde que trente jeunes femmes se suicident chaque mois en s'immolant à l'essence car elles ne peuvent plus supporter la vie conjugale avec leur mari. Lorsqu'elles arrivent à l'hôpital, brûlées au dernier degré, les infirmières ne peuvent pas les sauver :
– Nous n'avons même pas un centre de réanimation !
On me confie un petit billet écrit par une femme qui venait de s'immoler : "Je préfère la mort à la vie avec un homme que je n'aime pas et qui me bat. Ma vie est une prison. L'Afghanistan tout entier est une prison !"
Aujourd'hui mon cœur est triste en pensant à ce pays sublime, qui, après dix-huit ans de guerre civile, a sombré dans la nuit noire des Talibans.

CINEMA THEATRE

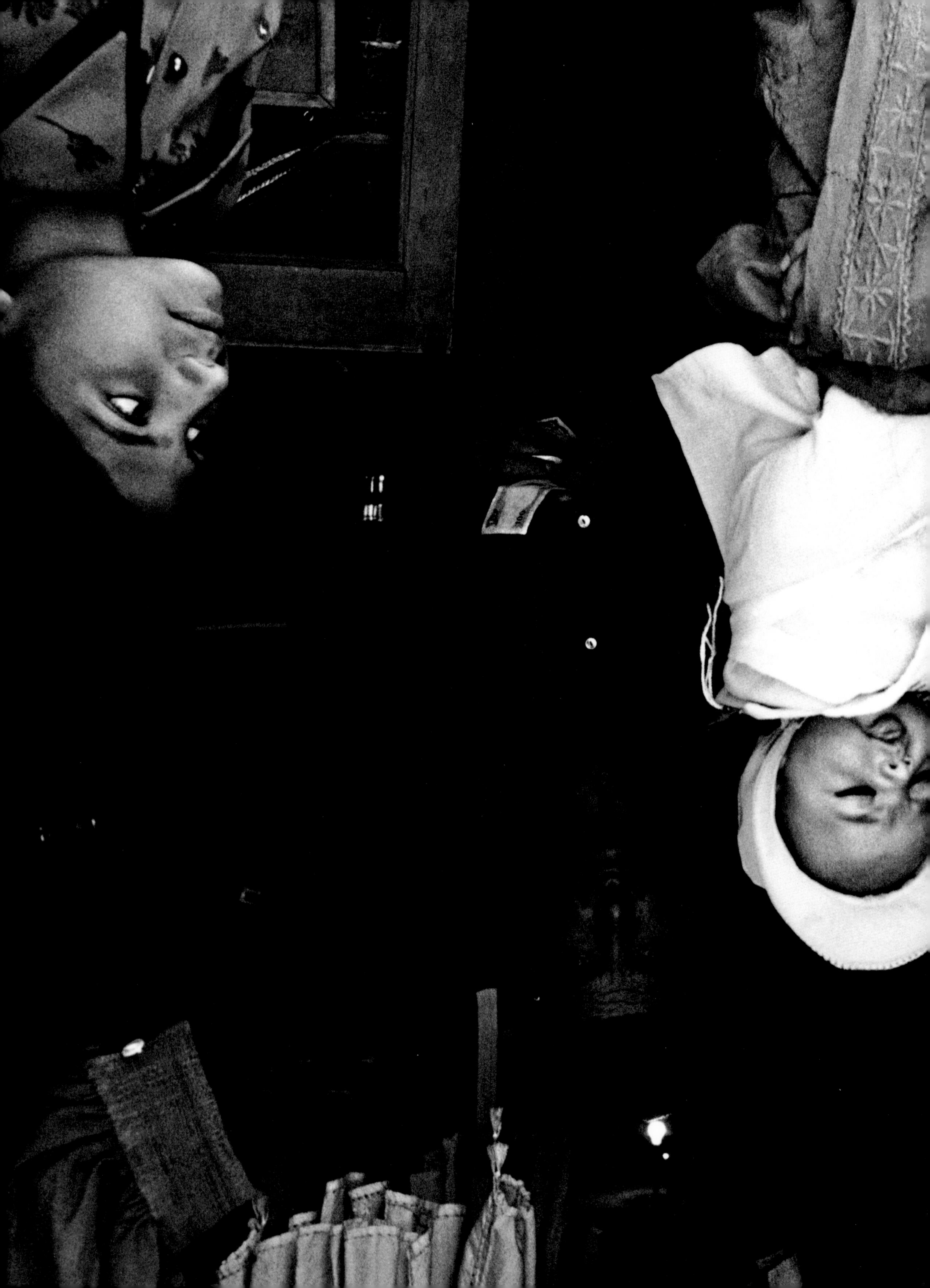

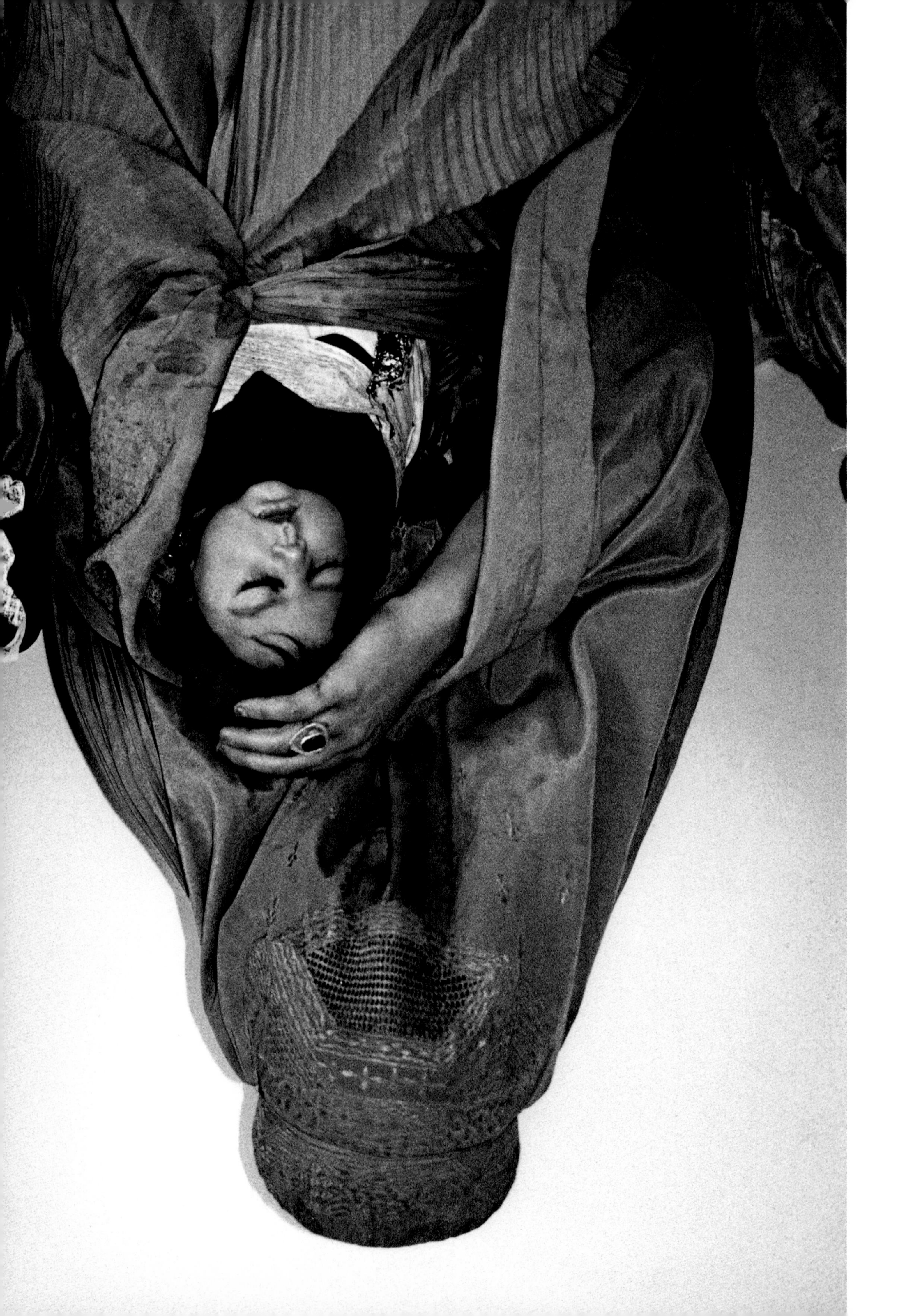

LÉGENDES

Tchad. La première photo… 1970.

Tibesti. 1970.

Irlande du Nord. 1972.

Irlande du Nord. 1972.

Irlande du Nord. Londonderry. 1970.

Irlande du Nord. Belfast. Fall's road. 1972.

Irlande du Nord. Belfast. 1972.

Irlande du Nord. Belfast. 1972.

Irlande du Nord. Belfast. 1972.

Irlande du Nord. Belfast. 1972.

Irlande du Nord. Belfast. Trêve de Noël. 1972.

Irlande du Nord. Belfast. 1972.

Irlande du Nord. Belfast. 1972.

Irlande du Nord. Londonderry. 1972.

Irlande du Nord. Belfast. 1972.

Irlande du Nord. Belfast. Fall's road. 1972.

Irlande du Nord. Londonderry. 1987.

Irlande du Nord. Belfast. 1978.

Irlande du Nord. Belfast. 1988.

Irlande du Nord. Londonderry. Funérailles. 1987.

Vietnam. Le départ des Américains. 1973.

Vietnam. Saïgon. L'année du buffle. 1973.

Vietnam. Danse du sabre. 1985.

Vietnam. 1973.

Vietnam. 1973.

Vietnam. 1973.

Cambodge. 1975.

Cambodge. Le bombardement de Phnom-Penh. 1975.

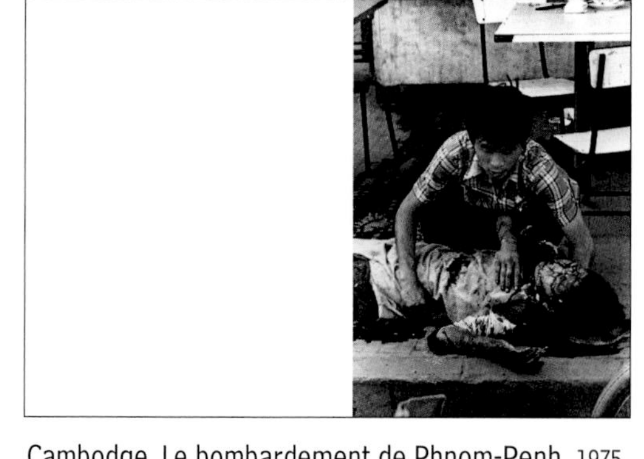

Cambodge. Le bombardement de Phnom-Penh. 1975.

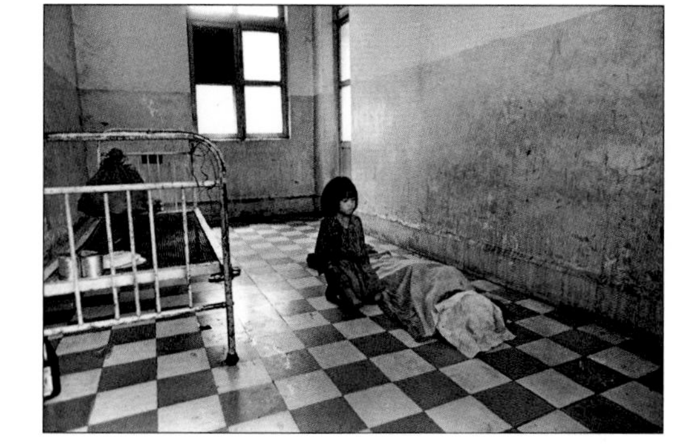

Cambodge. Hôpital à Phnom-Penh. 1975.

Cambodge. Mars 1985.

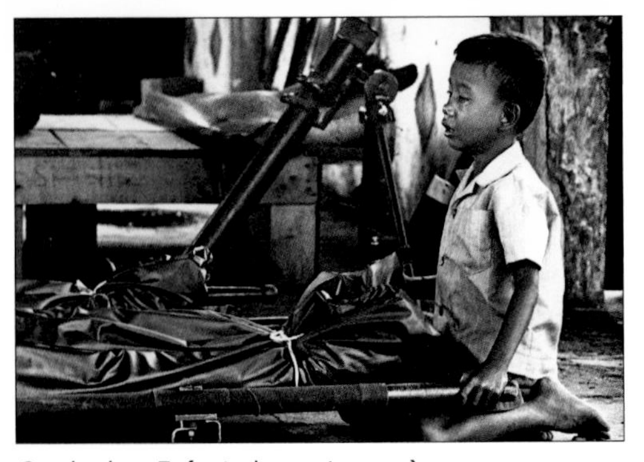

Cambodge. Enfant pleurant son père. 1974.

Cambodge. Gardien du charnier de Choeung Ek. 1985.

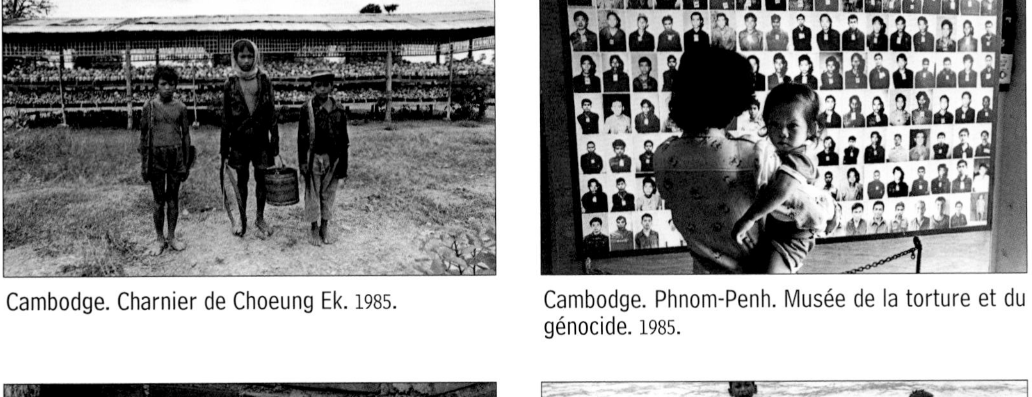

Cambodge. Charnier de Choeung Ek. 1985.

Cambodge. Phnom-Penh. Musée de la torture et du génocide. 1985.

Cambodge. Phnom-Penh. Musée de la torture et du génocide. 1985.

Cambodge. 1974.

Cambodge. Enfants nageant dans le Mékong. 1974.

Sahara occidental. Polisario. 1976.

Sahara occidental. Polisario. Bachir et Suelma à Guelta Zemmour. 1981.

Sahara occidental. Combattante du Front Polisario à Guelta Zemmour. 1981.

Sahara occidental. Campement de Tindouf. 1976.

Sahara occidental. L'entraînement des femmes. 1976.

Sahara occidental. 1976.

Sahara occidental. Victoire de Mahbes. 1976.

Sahara occidental. Mahbes. Après la bataille. 1976.

Sahara occidental. Femmes du Front Polisario. 1976.

Sahara occidental. Enfant du Front Polisario. 1976.

Sahara occidental. Victoire de Mahbes. 1976.

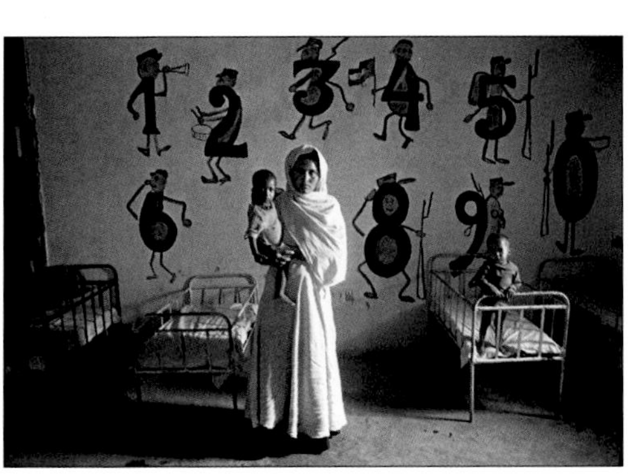

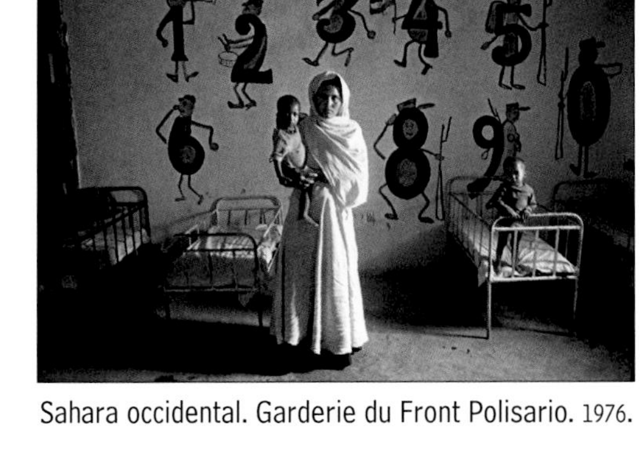

Sahara occidental. Garderie du Front Polisario. 1976.

Sahara occidental. École coranique du Front Polisario. 1976.

Sahara occidental. Campement de Smara. 2002.

Iran. Téhéran. 1979.

Iran. Téhéran. Journée de la femme islamique. 1979.

Iran. Téhéran. École des gardiennes de la révolution. 1979.

Iran. Gardiennes de la révolution. 1979.

Iran. Téhéran. 1979.

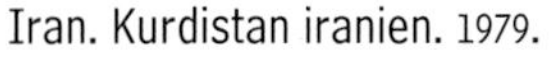

Iran. Kurdistan iranien. 1979.

Iran. Khorrandskar. 1989.

Iran. Téhéran. 1979.

Iran. Qöm. 1979.

Iran. Cimetière des martyrs de Qöm. 1979.

Iran. Cimetière des martyrs de Qöm. 1979.

Iran. Ispahan. École d'alphabétisation. 1979.

Iran. Qöm. Référendum. 1979.

Iran. Téhéran. Cimetière des martyrs. 1985.

Iran. Téhéran. Prière du vendredi. 1989.

Iran. Sur la route. 1979.

Iran. Week-end à la mer Caspienne. 1979.

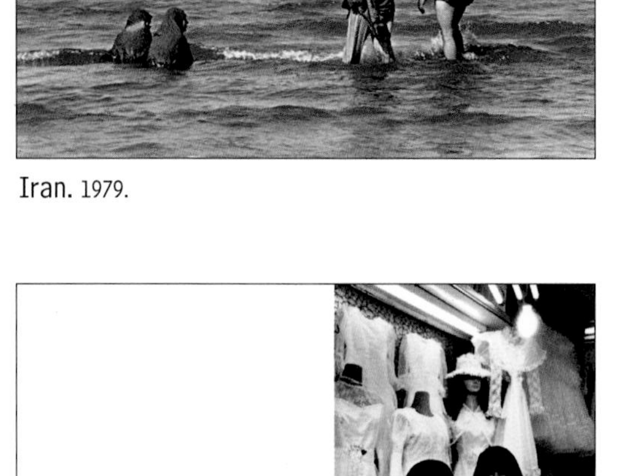

Iran. 1979.

Iran. Téhéran. Parc Horram. 1979.

Iran. Luna Park. 1979.

Iran. Téhéran. Bazar. 1979.

Nicaragua. Managua. 1981.

Nicaragua. 1981.

Salvador. Morgue. 1981.

Salvador. Funérailles. 1981

Bolivie. Cimetière de mineurs. 1982.

Bolivie. Milluni. Cimetière. 1982.

Liban. Beyrouth-Ouest. 1982.

Liban. Beyrouth-Ouest. 1982.

Sud-Liban. 1982.

Liban. Beyrouth. Hôpital psychiatrique de Sabra. 1982.

Liban. Beyrouth-Ouest. 1982.

Liban. Beyrouth-Ouest. Cimetière des martyrs de l'OLP. 1984.

Liban. Beyrouth. 1996.

Liban. Beyrouth-Ouest. 1996.

Afghanistan. Kaboul. 1997.

Afghanistan. Kaboul. Le cinéma-théâtre Baricot. 1997.

Afghanistan. La prière des combattants. 1981.

Afghanistan. Kaboul. 1980.

Afghanistan. Kaboul. Centre orthopédique. Mai 1997.

Afghanistan. 1981.

Afghanistan. Bazar de Kaboul. 1980.

Afghanistan. Hôpital de Kaboul. 1997.

Afghanistan. Hôpital de Kaboul. 1997.

CHRISTINE SPENGLER

REPÈRES BIOGRAPHIQUES

Christine Spengler en Iran. 1979.

D'ORIGINE ALSACIENNE, JE PASSE MON ENFANCE À MADRID OÙ JE fais des études de littérature française et espagnole.

1970. À la mort de mon père je pars avec mon frère Éric faire un long voyage au Tibesti : je suis née le jour de ma première photo au Tchad grâce au Nikon fétiche prêté par lui, en voyant les rebelles toubous tirer pieds nus à la kalachnikov contre les hélicoptères français.
Après un séjour de vingt-trois jours en prison, ma décision est prise. J'apprendrai mon métier sur le terrain et deviendrai correspondante de guerre. Premières parutions dans des journaux espagnols, émissions télévisuelles...
1972. Retour à Paris. Les deux Irlande se battent. Je pars sans contrat à Belfast et Londonderry, où je travaille aux côtés de Don McCullin. Ma première photographie célèbre : *Carnaval à Belfast* est diffusée par Sipa-Press (*Life*, *Paris Match*, *Europeo*...).
Je pars au Bangladesh photographier pour *Life* le retour du leader Mujibur Rahman dont je deviens l'amie.
1973. Je pars au Vietnam où je travaille à quinze dollars la photo pour Associated Press. Ma photo d'une femme vietnamienne cirant les bottes des GI's fait la couverture du *New York Times*.
Après plusieurs mois de travail à Saïgon où je suis la seule femme photographe, je m'achète trois vieux Nikon au "marché aux voleurs". J'apprends alors par un télégramme le suicide de mon frère Éric à Paris.
Ma vocation est renforcée. Pendant quinze ans je fuis en avant pour photographier en noir et blanc le deuil du monde.
1974. Retour en Asie où Horst Faas me demande de diriger le bureau d'Associated Press à Phnom-Penh encerclée par les Khmers rouges. Ma photo historique du *Bombardement de Phnom-Penh* fera le tour du monde.
1976. Je rentre à Paris. Sygma me demande d'être pendant deux ans leur correspondant en Espagne. Franco vient de mourir. Mes photos du Pays Basque sont publiées dans *Paris Match*.
Je pars au Sahara occidental pour *Time*, photographier les combattants et combattantes du Front Polisario.

1978. Espagne, Pays Basque, Sahara occidental, Afghanistan, Kurdistan.
1979. Je pars en Iran pour Sygma photographier la condition de la femme iranienne. Ma photo du cimetière des martyrs de Qöm devient une icône.
1980. Nicaragua, Salvador, Bolivie pour le *Matin Magazine*.
L'Afghanistan pendant l'occupation soviétique pour *Paris Match*.
1981. Pologne.
1982. Je photographie le président Khadafi en Libye. J'apprends l'arabe.
Je commence le livre sur ma vie.
1983. Je pars au Chili pour *Time*.
Toussaint en Alsace. Je fais le "pèlerinage interdit" sur la tombe de mon frère Éric et décide de faire des autels des dieux en hommage aux disparus, comme j'ai vu faire en Iran, au Mexique et en Bolivie.
Je photographie pour la première fois en couleur les portraits des défunts, les entourant d'objets personnels, de perles, de pétales de roses... Une façon d'exorciser le passé et de ramener les morts à la vie. Les photos de mon deuil personnel sont immédiatement publiées dans le magazine *Zoom*.
1984. Retour à Beyrouth où je suis prise en otage par les combattants morabitounes.
1984-1988. Madrid. Je photographie comme des icônes les toreros les plus célèbres. Ma série Vierges et Toreros est exposée à Madrid (Mercado Pueta de Toledo), à Paris (Mois de la photo) et à Arles.
1985. Audiovisuel dans le Théâtre antique d'Arles : *Le deuil d'Éric*. Je mélange les photos de guerre en noir et blanc avec les images en couleur de mon deuil personnel.
1988. Christian Lacroix tombe amoureux de mon travail. Je réalise mes premières photos de pub en hommage au grand créateur. Frédéric Mitterrand m'invite à son émission *Du côté de chez Fred*.
1990. Je travaille pour *Vogue* et Yves Saint-Laurent.
1991. Suite à la publication de mon autobiographie *Une femme dans la guerre* (Ramsay - de Cortanze), et à une grande exposition Guerre et Rêves à l'Espace Photographique de Paris, je suis invitée par Henry Chapier à son émission *Le Divan*, puis par Bernard Pivot (*Bouillon de culture*), Bernard Rapp (*Ex libris*) Aline Pailler et Jean-Marie Cavada (*Frangins frangines*).
Reportage en Érythrée et au Mozambique.
1995. Je retourne à Saïgon pour le 25e anniversaire de la fin de la guerre.
1996. New York. Je participe à une exposition sur la photographie française contemporaine à la galerie Aperture. Je photographie Harlem.
Paris. Je suis invitée par Laure Adler dans son émission *Le Cercle de Minuit* pour parler de la photographie de guerre et participe à l'exposition Face à l'histoire au Centre Pompidou.
1997. Je retourne à Kaboul pour photographier les femmes opprimées par les Talibans. Mes portraits de madones afghanes sont publiés dans la *Revista del Mundo*, puis dans *Marie-Claire*. Ils font partie d'une exposition itinérante organisée par Médecins du Monde.
1998. Je retourne au Cambodge le jour de la mort de Pol Pot et tourne un film avec la réalisatrice Fabienne Strouvé : *Christine Spengler : Retour à Phnom-Penh* (FR3).
Rétrospective à Beyrouth dans le cadre du premier Mois de la photo au Liban.
Paris. Je reçois le Prix de la SCAM pour mon reportage Femmes dans la guerre (1970-97).
Publication à Madrid de mon autobiographie *Entre la luz y la sombra* (Pais Aguilar).
1999. Retour en Irlande du Nord pour l'émission *Les cent photos du siècle* où je retrouve les huit enfants survivants de ma première photographie.
Je participe au festival Photo España (Madrid) dans l'exposition Images pour la dignité avec mes images de femmes iraniennes et afghanes.
Février 2001. Exposition Vocation reporter au Théâtre de l'image et de la photo de Nice avec Henri Cartier-Bresson et Ralph Gatti.
2002. Bruxelles. Je reçois le prix Femme de l'année pour mon travail sur la guerre.
J'expose mes photos de guerre à l'UNESCO et retourne au Sahara occidental pour le 27e anniversaire de la République Sahraouie.

Expositions personnelles

1979-89. Caixa de Pensiones, Barcelone (Espagne) : Une femme dans la guerre. Canon Gallery, Amsterdam (Pays-Bas).
Zurich (Suisse).
1983. Musée d'art moderne, Paris : Audiovisuel.
Canon Gallery, Barcelone (Espagne).
1985. Rencontres Internationales de la Photographie, Arles : Le deuil d'Éric.
1987-89. La Bodega. Rencontres Internationales de la Photographie, Arles : Vierges et Toreros.
Mois de la photo, Paris.
1987. Galerie Canon, Paris : Sahara interdit.
1988. Canon Gallery, Amsterdam (Pays-Bas) : Une femme dans la guerre.
Fnac-Montparnasse, Paris : La femme en Iran.
Musée de l'Élysée, Lausanne (Suisse) : Christine Spengler, 15 ans dans la guerre.
Mercado Puerta de Toledo, Madrid (Espagne) : Toreros, Toreros.
1989. Torino (Italie) : Des enfants dans la guerre.
Nikon Live Galerie, Zurich (Suisse) : Vocation, Femme reporter & Olivia Heussler.
1991. Espace photographique, Paris : De la guerre et du rêve.
Galerie AMC, Mulhouse : Christine Spengler, Photographe de guerre.
1992. Monde de l'art, Paris : Rétrospective.
Unesco.
2001. La Palma (Canaries) : Femmes dans la guerre.
2002. Encontros da Imagen, Braga (Portugal) : Autoportraits d'une correspondante de guerre.

Expositions collectives

1977. 6e festival d'Automne, Fondation nationale de la photographie, musée Galliéra, Paris : Photo-journalisme.
1983. Festival Strasbourg : La guerre dans l'image et le cinéma.
1988. Picto Bastille, Paris : Le corps a deux têtes.
1990. Seita, Palais de Chaillot, Paris : Gitanes.
1991. Bred+AMC, France : Roland Dufau sculpteur de lumière.
Galerie du Château d'Eau, Toulouse : Fnac, sa collection 1968-1991.
1993. Musée d'histoire contemporaine, Hôtel des Invalides, Paris : Chroniques contemporaines.

Centro Julio Gonzalez, Valencia (Espagne) : Images Escolides, la collecció G. Cuallado Ivam.
1994. Musée de l'Élysée, Lausanne, (Suisse) : Images comme dans un miroir.
1996. Galerie Aperture, New York.
1998. Encontros da Imagem, Braga (Portugal) : Taurus. Paços dos Duques.
2001. Pin Up & Hôtel Drouot, Paris : Le photo-journalisme aux enchères.
Théâtre de la photographie et de l'image, Nice : Vocation reporter.
2002. Galerie d'art du Conseil général des Bouches-du-Rhône, Aix-en-Provence : Femmes regardées.
Photo España, Madrid : Imagenes para la dignidad.

Livres, catalogues monographiques

1988. Catalogue *Vierges et Toreros*, Ilford, France.
1991. *De la guerre et du rêve*, collection Passeport, Paris Audiovisuel, Paris.
Une femme dans la guerre, Éditions Ramsay/de Cortanze, Paris.
1992. *L'Opéra du monde*, Éditions Plon, Paris.

Livres, catalogues collectifs

1977. Catalogue *Photo-journalisme* (Pierre de Fenoyl), Fondation nationale de la photographie.
1982. *Dictionnaire des photographes* (Carole Naggar), Éditions du Seuil, Paris.
1985. *Encyclopédie internationale des photographes de 1839 à nos jours* (Michel et Michèle Auer), Éditions Camera Obscura, Hermance (Suisse).
1988. Catalogue *Mois de la photo*, Paris.
1990. *Gitanes,* Nathan Images, France.
Catalogue *Roland Dufau sculpteur de lumière*, BRED, France.
1991. *Entrevues*, Nathan Images, France.
Catalogue *FNAC sa collection 1968-1991, 162e monographie* (Jean Dieuzaide), Galerie du Château d'Eau, Toulouse.
1992. *Auer index des photographes de 1839 à nos jours*, Éditions Camera Obscura, Hermance (Suisse) et MEP, Paris..
1993. *Chroniques contemporaines* (Thérèse Blondet-Bisch), Musée d'histoire contemporaine, Paris.
100 photos pour la liberté de la presse, Reporters sans frontière, France.
Catalogue *Imatges Escolides. La colleccion Gabriel Cuallado* (J.F. Yvars), IVAM Valencia (Espagne).
1994. *Nouvelle histoire de la photographie* (Michel Frizot), Bordas.
Catalogue *Images. Comme dans un miroir*, Musée de l'Élysée, Lausanne (Suisse) & Braus Verlag (Allemagne).
1996. *Our Mothers* (Viviane Esders), Stewart, Tabori & Chang (USA).
Catalogue, Galerie Aperture, New York.
1997. *Nos mères. Portraits de 72 femmes par leurs filles* (Viviane Esders), Édition de la Martinière, Paris.
CD-Rom des photographes des débuts à nos jours (Michel et Michèle Auer), Ides et Calendes, Neuchâtel (Suisse).
1998. Catalogue *Encontros da imagen 98* (Rui Prata, Carlos Fontes), AFCA, Braga (Portugal).
2000. *Vocation reporter* (Henri-Cartier Bresson, Jean-Paul Mari, Serge Perottino), Théâtre de la photographie et de l'image, Nice.
2002. Catalogue *Femmes. Regards de femmes. Femmes regardées* (intro. Michel Bepoix, préf. Jean-Noël Guérini, repères biographiques Michèle Auer), Actes Sud, Arles.
Margens da solidao (Rui Prata), Encontros da Imagen, Braga (Portugal).

Presse, revues, magazines

1977. *Grands Reportages* (France).
1979. *Grands Reportages* (France).
1980. *Photo* (France).
1981. *Paris Match* (France).
1983. *El Pais* (Espagne).
1988. *Nikon flash* 4 (Suisse).
1991. *Télérama*, 24 mars (France).
Libération (Brigitte Ollier), 30-31 mars : Christine Spengler, la mort épinglée (France).
Tribune des uns et des autres (Vincent Moeschler), (Suisse) : Les Obsessions de Christine Spengler.
1993. *Camera international 37* (France).
1994. *Image 37/1-2 G.E.H*, Rochester (USA).
Marie-Claire (France).
El Pais (Espagne).

Je remercie TOROSLAB pour ses merveilleux tirages, Françoise Riss chez Corbis-Sygma, et tous les amis qui m'ont aidée depuis le début de ma carrière, en particulier Sylvain Breton, Jean-Philippe Dedieu et Alain Liévin.

Maquette et mise en page : Éric Cez.
Impression, photogravure et reliure : Musumeci, Vallée d'Aoste, Italie.
Achevé d'imprimer en mars 2003
pour le compte des éditions Marval, 30 rue de Charonne, 75011 Paris, www.marval.com